金陵全書

甲編・方志類・府志

萬曆應天府志（三）

（明）程嗣功 修
王一化 纂

南京出版社

應天府志卷二十一

雜志

爰肇區宇東土斯宅炳此前規豐儉之則宅以表仁墓亦象賢永平造釁冊碧輝煌作雜志

古蹟

冶城本吳王夫差鑄劒之所一云孫吳郎今朝天宮地晉元帝大興初王導疾方士戴洋曰君本命在申而申地有冶金火相爍不利遂移冶城於石頭城東以其地爲西園是晉時猶爲冶處

金陵邑城周顯王三十六年楚威王所置孫吳即其地築城曰石頭城即今石城門近清涼門處丹陽記石頭城吳時土塢後因山加甓爲城因江爲池地形最爲險固隋置蔣州城唐韓滉五城皆相去不遠詳見石頭山梁武帝詩鬱盤地勢遠參差百雉壯翠壁絳霄際丹樓青霧上夕月出濠渚朝雲生疊障何遜詩關城乃形勢地險差非一馬嶺遂紆開犬牙傍隆窂百雉極襟帶億庾並量出至理歸熊爲善守兗何恤眺聽窮耳目遠近備幽懸擾

摻見行人嗶嗶覘落日迷樵入廻沜飛蓋交長衢
天暮遠山青潮去遥沙出薄宦恧歸來屬辭慚愈
疾頽乘轂觫牛還隱蒙籠室（劉禹錫詩）山圍故國
周遭在潮打空城寂寞回淮水東邊舊時月夜深
還過女墻來
吳都城大帝黃龍元年築在淮水北五里據覆舟山
下東環平岡以爲安西城石頭以爲重後帶玄武
湖以爲險前擁秦淮以爲阻周廻二十里十九步
正門曰宣陽又南五里至淮水爲大航門時都城

皆設籬曰古籬門晉元帝渡江復爲都改爲建康城仍吳之舊而增築焉凡十二門南曰宣陽開陽清明陵陽東曰建春東陽西明閶闔北曰廣莫玄武延熹大夏宋齊梁陳皆因之

臺城一曰苑城本吳後苑城晉成帝咸和中於城內作新宮名建康宮周八里濠闊五丈深七尺有五門正南曰大司馬門左曰閶闔門北曰昌平門東西門曰東掖西掖大司馬門與都城宣陽門對舊志云新宮即臺城也在上元縣東北五里有牆兩

重晋成帝時蘇峻亂盡焚臺城宮室温嶠以下咸
議遷都唯王導固爭不許咸和六年使卞彬營治
孝武太元三年謝安以宮室朽壞啓作新宮王彪
之曰中興即東府誠爲儉陋元明二朝亦不改制
蘇峻之亂成帝止蘭臺不蔽寒暑是以更營修築
殆合奢儉之中今自可隨宜增修强寇未殄不可
大　力役安曰宮室不壯後世謂人無能彪之曰
任天下事當保國家朝政惟允豈以修屋爲能
耶詔曰昔大賊縱暴宮室焚蕩元惡雖殄未暇營

築有司屢陳朝會逼狹遂作新宮子來之歌不日
而成新宮内外殿宇大小凡三千五百間

倉城吳積貯之所近古苑城市

白馬城不詳所在吳時舉烽火於此金陵故事云吳
時沿江烽火臺二所一在石頭左一在白馬城

金城吳時所築今縣東北句容縣之瑯琊鄉即其地
考證吳後主寶鼎二年於金城門外露宿迎神明
陵蔡宗旦金陵賦云遊金陵以愴然問種柳之何
在笑吳主之信巫乃露宿於門外希大興中王氏

舉兵反將軍劉隗軍於金城初中宗於金城置瑯
琊郡咸康中桓温爲瑯琊内史出鎮金城後温北
伐經金城見爲瑯琊時所種栁皆十圍因嘆曰木
猶如此人何以堪攀枝執條泫然流涕金陵志謂
上元縣金陵鄉地名金城即其地戚氏辨以爲
金城即前句容之瑯琊城其說是

建鄴城在治城東晉太康三年分淮水北爲建鄴治
在宣陽門内

西州城即古揚州城漢揚州治曲阿晉永嘉中遷於

建康剏立州城即此太元末會稽王道子領揚州東府故號此城爲西州城西接冶城東臨運瀆今朝天宮西州橋是考證晉以西州爲丹楊尹治所謝安鎮新城欲俟經畧粗定自海道東還後雅志未遂復入西州城慨然自失宋時徐羨之住西州高祖嘗思之即步出西掖門往見焉殷景仁既拜揚州羸疾遂篤上勅西州道上不得有車聲孝武時熒惑守南斗乃廢西州舊館使西陽王子尚移居東府城以厭之

瑯琊城在古江乘縣界晉元帝以瑯琊王過江國人隨而居之因城焉齊永明元年移瑯琊於白下此城遂廢　按晉書江乘南岸有瑯琊城立瑯琊内史以治之齊武帝移於白下大起樓觀講武於此又南徐州記云江乘南岸蒲洲津有瑯琊城與白下相近白下即齊武所徙者永明六年講武瑯琊城指白下瑯琊城也南史齊世祖欲北伐使毛惠秀畫漢武伐匈奴圖置瑯琊城射堂上每幸必諦觀焉王融瑯琊講武應詔詩白日映丹羽頳霞文翠

栴凌山炫紐帶積水被戈船江孝嗣詩驅車去連翩日下情不息芳椰似作人惆悵予何極薄暮苦羈愁終朝傷旅食丈夫許人世安得顧心臆按劍勿復言誰能眄與織謝朓詩春城麗白日阿閣跨層樓蒼江忽渺渺烟波復悠悠京洛多塵霧淮濟未安流豈不思撫劍惜哉無輕舟夫君良自勉歲暮勿淹留徐敬業詩甘泉警烽堠上谷抵樓蘭此江稱豁險茲山復鬱盤表裏窮形勝襟帶盡巖巒修篁壯下屬危樓峻上干登陴起遐望回首見長

安金溝軔灞滻前道入雋纖鮮卑鶩華轂汗馬躍

銀鞍少年負壯氣耿介立衝冠慷紀燕山不思封

函谷九豈如霸上戲羞取路傍觀寄言封侯者數

奇良可歎

懷德城晉大興元年梁舊志云在縣北祈寺前即王謝宅處若非

臨沂城在獨石山北臨大江今攝山之西白常村蓋

其地距縣治三十八里

東府城晉安帝義熙十年冬城東府在清溪橋南臨

淮水周三十里九十步簡文爲王時舊第後爲會稽王道子宅道子錄尚書事以爲治所時人呼爲東府其子元顯亦錄尚書時謂道子爲東錄元顯爲西錄西府車騎塡湊東第門下可設雀羅東第即後東府城也

會稽王傳嬖人趙牙爲道子開東第築山開池列植竹木工用鉅萬帝嘗幸其宅謂道子曰府內乃有山因得游矚甚善然修飾太過道子無以對帝去道子謂牙曰上若知山是人力所爲爾必死矣牙曰公在牙何敢死其戚東北角

有土山即牙所築也宋武帝領揚州日築東府城以居彭城王義康文帝元嘉中義康更開拓北墉浚西塹自後常爲宰相府第景和中嘗改爲未央宮明帝時建安王休仁鎮東府訛言東城出天子帝懼殺休仁而常閉東府不居桂陽王休範反車騎典籤茅恬開東府納賊齊高帝封齊王以東府爲齊宮梁太清三年侯景舉兵毀板墻以甎甃爲之紹泰末盡罹焚毀陳天嘉中徙治府城東三里臨淮水陳亡遂廢

湖熟城古縣名漢屬丹陽郡今在丹陽鄉去縣五十里淮水北宋元嘉中遷越城流人於此

東宮城本吳永安宮在臺城東門外宋元嘉十五年修永安宮爲東宮城四周土墻塹兩重南東西開三門

檀城本謝玄別墅謂之城子墅亦曰墅城至宋屬檀道濟故名檀城在今縣東清風鄉黄城橋之西

白下城本江乘之白石壘齊武帝以其地帶江負山移瑯琊居之唐武德九年罷金陵縣築城於此因

其舊名曰白下貞觀九年復舊治城遂廢今靖安鎮北有白下城故基 按南史齊武帝欲修白下城難於動役劉係宗啓請役在東者上從之後武帝講武白下仍行其城曰係宗爲國家得此一城

同夏城梁武帝所生處大同元年置同夏縣因城焉今長樂鄉同夏浦舊府城

金陵府城宮苑記隋大業六年置在玄風觀南 按唐李孝恭再破巨賊欲以威重夸遠俗築第石頭城陳廬徼自衛此又唐府城也

韓滉五城在石頭唐德宗狩梁州韓滉觀察江東乃築石頭五城自京口至土山

南唐都城周二十五里四十四步楊吳順義中築初六朝舊城在北去秦淮五里故淮上皆立浮航緩急則撤航為備孫吳沿淮立柵吳王溥時徐溫改築稍遷近南夾淮帶江以盡地利西據石頭今石城三山二門南接長干今聚寶門東以白下橋為限今大中橋北以玄武橋為限今北門橋所跨水皆所鑿城濠也有上下水門以通淮水出入今通

濟三山二水門宋元皆因之
即丘陽都二治俱東北
建康府治初在天津橋北後徙東錦繡坊
昇州治即今內橋北
太社太稷壇晉元帝建武元年立在古都城宣陽門
外郭璞卜遷之
北郊壇晉安帝咸通八年立在覆舟山南宋孝武大
明三年移於鍾山北原定林寺山巔有平基二所
闊數十丈即其地

雩壇梁天監九年有事雩壇遂移於東郊在籍田之域內

籍田壇在東郊十五里梁普通三年移置有便殿齋省望耕壇祈年殿沃野千畝

上元舊社壇在白下門外尉廨東

夢筆驛在冶亭 江淹嘗宿此夢人自稱郭璞謂曰吾有筆在公處可見還淹探懷中五色筆一枚授之後爲詩絕無美句

舊金陵驛二宋建於長樂鄉一名蛇盤驛元建於清

溪坊有水馬二站（宋文天祥詩）草舍離宮轉夕暉孤雲飄泊欲何依山川風景元無異城郭人民半已非滿地蘆花和我老舊家燕子傍誰飛從今別却江南去化作啼鵑帶血歸

烏榜村圖經初立西州城未有籬門立烏榜遂以名村

銅鑛署在臺城本洛陽故物晉平姚秦遷於此

鷄鳴埭在湖溝上齊武帝早遊鍾山射雉至此始聞鷄鳴

藥園壘在覆舟山南晉劉裕築以拒盧循

賀若弼壘隋伐陳若弼過江於蔣山龍尾築壘在北二十里

韓擒虎壘在石頭城西

到公石慶元志云梁到溉第臨淮水齋前地有礓石長丈六尺武帝戲與賭之溉輸即迎置華林園宴殿前謂到公石云

華林園在臺城內本吳舊宮苑也宋元嘉中更修廣之鑿天淵池起景陽樓鳳光諸殿梁武造重閣陳

永初中又造聽訟殿臨政殿隋平陳俱廢世說晉簡文帝在華林園謂左右曰會心處不必在遠翛然林木便有濠濮閒趣覺鳥獸禽魚自來相親宋書何尚之見造華林園在盛暑時諫宜休息不許曰小人常自暴背此不足爲勞運曆圖齊高帝建元二年幸華林園褚彦回彈琵琶王僧虔彈琴沈文季爲子夜吟王敬則舞劍王儉獨跪誦封禪書帝曰此盛德事吾何以堪謝朓詩江南佳麗地金陵帝王州逶迤帶綠水迢遞起朱樓飛甍夾馳道

垂楊蔭御溝鳴笳翼高盖疊鼓送華輈獻納雲臺
表功名良可收

西園一名别苑即冶城地王導所築 晉書成帝幸司徒府游觀西園即此太元十五年武帝爲江陵沙門法新於中立寺以冶城爲名至桓玄盡移僧出以寺爲苑

東籬門園在東府籬門内 南史何點信佛居東籬園孔德璋爲築室豫章王嶷命駕造點點從後門逃去竟陵王子良聞之曰豫章王尚望塵不及吾當

結岫息心後點在法輪寺子良就見之點角巾登席子良欣悅無已遺點嵇叔夜酒杯徐景山酒鎗側有卞忠貞冢點植花冢側每飲必舉酒酹之

沈約郊園在鍾山下 沈約詩陳王鬭鷄道安仁採樵路東郊豈異昔聊可閒余步野徑既盤紆荒阡亦交互槿籬疏復密荊扉新且故樹頂鳴風飆草根積霜露驚麏去不息征鳥時相顧茅棟嘯愁鴟平岡走寒兔夕陰帶層阜長烟引輕素飛光忽我遒豈止歲云暮若蒙西山藥頹齡尚能度 又憩郊園

詩郭外三十畞欲以貿朝饘繁蔬既綺布客菓亦星懸仄寒瓜方臥壟秋蓏亦滿陂紫茄紛爛熳綠芋鬱參差祁菘向堪把時韭日齣離高梨有繁實何減萬年枝荒藥集野宴安用昆明池謝眺詩清淮左長薄荒徑隱高遂同潮旦夕上寒渠左右通霜畦紛綺錯秋町鬱蒙茸環梨懸巴紫珠榴折且紅君有棲心地伊我歡既同何用甘泉側王樹望青葱

半山園宋王安石營 王荊公居半山園有詩示蔡天

啓云今年鍾山南隨分作園圃又次吳氏女子詩註云南朝九日臺在孫陵曲街傍去吾園數百步

桂林苑在落星山之陽 吳都賦曰數軍實于桂林之苑

樂遊苑即晉藥圃壘處宋元嘉中以其地爲北苑更造樓觀改曰樂遊苑孝武大明中造正陽林光殿於内侯景亂焚毀畧盡 元嘉十一年三月禊飲於樂遊苑會者賦詩顏延之爲序范曄應詔詩崇慼歸朝闕虛寂在山岑山梁協孔性黄屋非堯心軒

駕時未肅文囿降照臨流雲起行盖晨風引鑾音
原薄信平蔚臺沼備層深蘭池清夏氣修帳含秋
陰遵渚攀豢窓隨山上嶇嶔睇目有極覧游情無
近尋聞道雖有積年力互頽侵探已謝丹藪盛事
懷長林（劉苞侍宴詩）六郡良家子幽并游俠兒立
乘争飲羽倒騎競分馳鳴珂飾華眊金鞍映玉羈
膳羞殫海陸和齊眠秋宜雲飛雅琴奏風起洞簫
吹曲終高宴罷景落樹陰移微薄承嘉惠飲德良
不貲取效績無紀感恩心自知（丘遲詩）詰旦閶闔

開馳道聞鳳吹輕蕙承玉輦細草藉龍騎風遲山尚響雨息雲猶積巢空初鳥飛荇亂新魚戲寔惟北門重匪親孰爲寄參差別念舉肅穆恩波被小臣信多幸投生豈酬義沈約詩

丹浦非樂戰負重切君臨我皇秉至德志已用堯心愍茲區宇內魚鳥失飛沉推轂二崤道楊旆九河陰超乘盡三屬選士皆百金戎車出細柳餞席樽上林命師誅後服授律綏前禽函轘方解帶嶢武稍披襟伐罪芒山曲弔民伊水潯將陪告成禮待此未抽簪

上林苑在鷄籠山東宋孝武大明三年築初名西苑梁改曰上林其地有古池俗呼爲飲馬塘亦曰飲馬池其西又有望宮臺

芳林苑一名桃花園齊高帝舊宅也帝即位修舊宅爲青溪宮一名芳林園後改爲苑永明五年禊飲於芳林苑王融曲水詩序云載懷平浦乃睠芳林謂此梁天監初賜南平元襄王爲第益加穿鑿蕭範爲記言藩邸之盛莫過於此

方山苑齊武帝立見方山下

博望苑在東七里齊惠文太子所立輔公拓城是其地沈約郊居賦云睇東巘以流目心悽愴而不怡昔儲皇之舊苑實博望之餘基謝脁詩戚戚苦無悰攜手共行樂尋雲陟累榭隨山望菌閣遠樹曖仟仟生烟分漠漠魚戲新荷動鳥散餘花落不對芳春酒遥望青山郭

芳樂苑齊東昏築在臺城齊東昏侯即臺城閱武堂爲芳樂苑山石皆塗以彩色跨池水立紫閣諸樓觀又於苑中立店肆以潘妃爲市令又作土山開

渠立埭苑中時有奴歌云閱武堂種楊柳至尊屠肉潘妃沽酒【王僧孺侍宴詩】迴輿避暑宮下輦迎風館散湯輕烟轉霏微高雲散蔓草亘岩垂高枝起天半回風梢鶯水落花漸斜岸妙舞駐行雲清歌入層漢睟顔暢有懷德音良已緊

北苑南唐築在城北不詳其所徐鉉徐鍇湯悅有北苑侍宴詩序云望蔣嶠之嵚崟祝爲聖壽泛潮瀟之清淺流作恩波

玄圃齊惠文太子築在臺城北惠文太子性奢麗宮

中多雕飾精緻過於王宮開拓玄圃與臺城北塹
等其樓觀塔宇多聚奇石妙極山水慮帝望見傍
列修竹內施高障造游墻數百間輿地志云圃有
明月觀婉轉廊徘徊橋內作淨明精舍梁昔昭明
太子於玄圃立館以延朝士番禺侯軌稱此中宜
奏女樂太子不答詠左思招隱詩何必絲與竹山
水有清音軌大慙王儉詩秋日在房鴻鴈來翔寥
寥清景靄靄微霜節木搖落幽蘭獨芳眷言梁苑
尚想濠梁既暢旨酒亦飽徽猷有來斯悅無遠不

新

王騫墅在鍾山南史騫歷黄門郎司徒右長史有舊墅在鍾山八十餘頃與諸宅及故舊共佃之嘗謂人曰我不如鄭公業有田四百頃而食常不周以此爲愧梁武帝於鍾山西造大愛敬寺騫墅在寺側者即王導賜田也帝宣旨取之騫曰此田不賣若勅取亦不敢言帝怒評價取之

郭文舉書臺宋志天慶太乙殿即文舉讀書處金陵故事文舉爲王導所重築臺於治城以處之

望耕臺在白上村宋文帝嘗登此以觀公卿親耕耤見越城下

日觀臺一名司天臺在臺城內宮苑記臺城西有日觀臺祥符圖經云宋司天臺也

九日臺在南郊館岡上齊武帝每九月九日宴群臣於此

昭明讀書臺一在蔣山定林寺後北高峯上一在湖熟鎮皆昭明讀書處今遺址尚存

獨足臺在舊宮城陳將亡有一鳥獨足上臺以喙畫

地書云獨足上高臺茂草化爲灰欲知我家處朱門傍水開後還洛陽果賜第洛水傍

南唐月臺胡宿高齋記在子城東南唐李氏因城作臺望月人呼爲月臺下臨深濠北面復舟南對長干西望冶城立齋其上高倂麗譙廣容晏息用謝宣城晏坐之意曰高齋

太初宮即長沙王孫策故府吳赤烏十年改作周五百丈晉元帝渡江以爲府舍及即位稱爲建康宮江表傳載權詔曰建康宮乃朕從京來所作將軍

府寺耳材柱𭩏細小今未復西可徙武昌材瓦更
繕治之有司奏武昌宮已二十八歲恐不堪用宜
令所在更伐木治權曰大禹以卑宮爲美今軍事
未已所在多賦損農武昌材自可用也左太冲吳
都賦曰作離宮於建業闡闔閭之所營采夫差之
遺法抗神龍之華殿施榮楯而捷獵崇臨海之崔
嵬飾赤烏之韡曄東西膠葛南北峥嶸房櫳對櫎
連閣相經閽闥譎詭異出奇名左稱彎碕右號臨
硎彫欒鏤楶青瑣丹楹圖以雲氣畫以僊靈雖兹

宅之夸麗曾未足以少寧詩云神龍臨海赤烏宮名彎碕臨硎殿名晉史石冰之亂太初宮盡焚陳敏平石冰因太初故基創府舍元帝所居即敏所造帝領江左十年始即位常在舊府至成帝始繕苑城

昭明宮甘露中造周五百丈與太初宮相望榜曰昭明晉避諱改曰顯明

南宮吳太子所居在臺城南

永安宮晉孝武建即吳東宮在臺城東南輿地志吳

東宮在城之南晉初東宮在城之西南其後改於宮城之東北宮苑記孝武太元二十一年新作東宮本東海王第安帝立以何皇后居之桓玄折其材木入西宮以其地爲射宮至宋元嘉十五年築爲東宮陳太建九年移皇太子居之

南唐宮今內橋北以昇州治所爲之

宋行宮在清溪南即舊建康府治高宗紹興二年修爲行宮 建炎元年尚書右僕射兼中書侍郎李綱言於高宗曰天下形勝關中爲上建康次之請以

長安爲西都建康爲東都各命守臣葺城池治宮
室積糗糧以備臨幸則天下之勢安矣上出其章
付中書衛膚敏劉珏皆主幸東南三年五月上駐
蹕神霄宮詔改江寧府爲建康閏七月如浙西紹
興二年上命江南東路安撫大使李光即府舊治
爲行宮光乞增創後殿許之以圖進呈上曰但令
如州治足矣若止一殿雖用數萬緡亦未爲過必
事事相稱則土木之役傷財害民何所不至象箸
之漸不可不戒由是制度簡儉六年六月右僕射

張浚謂建業爲中興根本奏請秋冬臨幸七年三月辛未上至建康十一月上謂浚曰朕來建康行宮皆因張俊所修之舊不免葺數間小屋爲寢處地不施丹雘盖不欲勞人費財也八年正月上將還臨安叅知政事張守言曰陛下至建康席未及煖願少安於此以係中原之心趙鼎持不可壬戌召張俊至宮中諭之曰朕來日東去卿在此無與民爭利勿興土木之工俊見地無磚歎息上曰艱難之際一切從儉少紓民力朕爲人主雖以金玉

為儲亦無不可但如此後世以朕為何如主也三十二年正月上復至建康二月還臨安初上謂輔臣曰將來幸浙西建康宮宇令有司照管他時復幸免更營造以傷民力中書門下省言建康府已除行宮留守詔應合行事件並依西京留守司例自是江南東路安撫司常兼留守歲四季令入宮點視

太極殿建康宮之正殿也晉初造以十二間象一歲之月至梁武帝改製十三間以象閏高八丈長二

十七丈廣十丈並以錦石爲砌兩傍有太極東西
堂東有二上閤在堂殿之間方庭闊六十畝山謙
之丹陽記云太極殿周制路寢也秦漢曰前殿今
稱太極東西堂亦魏制於周小寢也徐廣晉記曰
謝安作新宮造太極殿欠一梁忽有梅木流至石
頭城下因取爲梁殿成畫梅花於其上以表嘉瑞
實錄云太元中起太極殿謝安欲使王獻之題榜
以說魏韋仲將懸虛橈書凌雲臺額獻之正色曰
仲將魏之大臣寧有此事使其若此有以知魏德

之不長安遂不之逼晉中興書云孝武造太極殿郭璞卜筮云二百一十年此殿爲奴所壞後梁武帝毀之捨身爲奴也文昌雜錄云東晉太極殿東西閣天子間以聽政閣之名起於此宮苑記云太極殿前東西有二大鐘宋武帝平洛所獲並漢魏舊物

清暑殿在臺城內晉孝武帝造重樓複道通華林園爽塏奇麗無與爲比宋孝武大明五年鵲尾中生嘉禾一枝五莖遂改爲嘉禾殿

含章殿宋孝武帝造在宮中帝女壽陽公主人日卧於殿簷下梅花落額上號梅花粧

玉燭殿宋孝武帝造考證孝武壞武帝居室起玉燭殿與從臣觀之牀頭有土障壁上掛葛燈籠麻蠅拂侍中袁顗稱武帝儉德帝不荅獨言曰田舍翁得此已過矣按南史晉諸帝多處內房朝所臨東西二堂而孝武末年清暑方建宋初受命無所改作所居惟稱西殿不制嘉名文帝因之亦有合殿之稱孝武承統追陋前規更造正光玉燭諸殿奇

麗無此

靈和殿在臺城內 益州刺史劉浚獻蜀柳武帝命植於靈和殿三年柳成枝條柔弱狀如絲縷帝與公卿宴賞嘆曰楊柳風流可愛猶如張緒當年

紫極殿宋明帝所作珠簾綺柱江左所未有 考證齊高帝欲以其材起宣陽門王儉褚淵王僧虔連名表諫手詔酬納

披香殿在臺城內 庾子山詩 宜春苑中春已歸披香殿裏作春衣指此

顯陽殿昭陽殿齊太后皇后所居考證宋明中無人
后皇后并貴嬪居昭陽殿

鳳華殿壽昌殿靈曜殿皆齊內殿武帝時建

芳樂殿玉壽殿齊東昏建在臺城內齊史東昏大起
芳樂玉壽諸殿以麝香塗壁刻畫裝飾窮極綺麗
役者自夜達曉猶不副速後宮服御極選珍奇府
庫舊物不復用民間金寶價皆數倍建康酒租皆
使輸金尚不能足鑿金爲蓮花以帖地令潘妃行
其上曰步步生蓮花

重雲殿梁武造在華林園府志云殿前置銅渾儀是
劉曜光初六年孔挺所造何承天以爲張衡所造
五明殿在臺城內考證梁武帝謙恭待士時忽有四
人來貌可七十鶉衣躡屩入丹陽郡建康里行已
經年無人知者帝召入儀賢堂給湯沐解御服衣
之惟昭明太子識之一見如故舊曰爲四公子帝
移四公子入五明殿更重之大同末魏使崔敏來
聘敏博贍儒釋知天文醫術帝選十人於此殿推
論三教百家六籍五運九十餘日敏喪神嘔血歸

未及境而卒事類記西人姓名劉闞驪杰趙𪖒仉

将難敏者仉将也

光華殿在臺城梁武帝大通中施與草堂寺取珠貝

直百萬以其地起重閣

求賢殿在臺城內陳建 後主皇后沈氏居之后端靜

好學後主薨自作哀冊文辭甚酸楚

儀賢堂吳建初名聽訟堂在宣陽門內每歲策孝秀

考學士學業歲暮習元會儀於此梁改曰儀賢

樂賢堂在臺城內晉肅宗為太子時建宮城西南角

外有清游池通中引水帶堂左右咸和七年彭城王紘上言樂賢堂有先帝手畫佛像屢經寇難而此堂猶存宜勑作頌下其議蔡謨曰佛者夷狄之俗非經世之制先帝量同天地多才多藝聊因臨時而畫此像至於雅好佛道此未聞也乃寢

宣猷堂晉置後在梁東宫內梁紀修飾國學增廣生員立五館置五經博士皇太子宣城王亦於是堂講論釋老

武帳堂宋元嘉中建武帳岡上

澄心堂南唐後主建爲藏書撰述之所金陵舊有澄心堂紙相傳爲玩

芙蓉堂在宋安撫司王安石詩投老歸來一幅巾尚秘榮祿備藩臣芙蓉堂下疏秋水且與龜魚作主人

戲綵堂在轉運司正堂後嘉定八年真德秀將母出使背而名之馬光祖王埜皆公門下士寶祐中同持節於此新其堂刻石識之

忠宣堂在轉運司西廳本雙槐堂真德秀改建

清如堂在清溪渌波橋北馬光祖建取御翰中一清如水之語梁椅爲記

烽火樓在石頭城西南最高處吳時舉烽火之所考證宋元嘉中魏太武至瓜步聲欲渡江文帝登烽火樓極望不悅謂江湛曰北伐之計同議者少今日貽大夫之憂在予過矣蘇峻之亂陶侃温嶠入討舟直揺石頭峻登烽火樓望見士衆之盛有懼色謂左右曰吾本知温嶠能得衆也（簡文帝詩）烽樓排樹出却堞帶江清沙峯試遠望聳欝盡郊京

萬邑王畿廣三條綺陌平亘原横地險孤嶼派流
生悠悠歸棹入渺渺去帆驚水烟浮岸起遥鷁逐
霧征（謝朓登樓詩）徘徊戀京邑躑躅杳層阿陵高
墀闕近眺迥風霜多荆吳阻山岫江海闊瀾波歸
飛無羽翼其如離别何

冶城樓晉建在吴冶城舊基即謝安石王羲之同登
處宋嘉定中重建接忠孝堂

入漢樓在石頭城晉義熈八年建加累入於雲霄連
堞帶於積水

青漆樓在臺城內齊書云世祖興光樓上施青漆時人謂之青漆樓

景陽樓在法寶寺西南宋精銳中軍寨內遺址尚存呼爲景陽臺今旗手衛營內地宋元嘉二十二年修廣華林園築景陽山始造景陽樓孝武大明元年紫雲出樓中狀如煙改爲慶雲樓宮苑記云齊武帝置鍾景陽樓上令宮人聞鍾聲並起粧飾劉義恭詩丹墀設金屛瑶樹陳玉林溫宮冬開燠清殿夏含霜弱蔓布遐馥輕蘂振遠芳彌望錯無際

肆聯周華疆象闕對馳道飛廉屬方塘邸寺迷阡曜栩栩介成行通川溢輕艫長街盈方術儼此嬀火微𨚫頒側天光（王僧孺侍宴景陽樓詩）金燦鋪可鏡桂棟儼驂雲沾觴均飲德服道驗訓開亞論禹闢善排耻莬爲君小臣亦何者知謝屢追羣（柳惲詩）太液滄波起長楊高樹秋翠華承漢遠雕輦逐風流

百尺樓在南唐宮中 新說云唐主於宮中作高樓召羣臣觀之衆皆歎美蕭儼曰恨樓下無井耳唐主

問其故對曰以此不及景陽樓唐主怒貶泛於州

玄武觀宋建在玄武湖上南朝嘗臨此閱武江總詩詰曉三春暮新雨百花朝星宮疑度漢天駟動行鑣旆轉蒼龍闕塵飛飲馬橋翠觀迎斜照丹樓望落潮鳥聲雲裏出樹影浪中摇歌吟奉天詠未必待聞韶

通天觀在華林園宮苑記云梁武帝於景陽山東嶺起通天觀觀前起重閣閣上曰重雲殿下曰光嚴殿殿當街起二樓左曰朝日右曰夕月堦道繞樓

九轉極其巧麗金陵故事曰孝武講孝經於通天觀則晉時已有之梁武或加增飾耳

齊雲觀在臺城內陳建後主令採木湘洲擬造正寢至牛渚磯盡沒既而漁人見栰於海上復起齊雲觀國人歌曰齊雲觀冦來無際畔

延祚閣在冶城後岡上宋太始中建延祚寺閣因名許渾登閣詩極目皆陳迹披圖問遠公戈鋋三國後冠盖六朝中葛蔓交残壘芸花没廢宮水流蕭鼓絶山在綺羅空極浦千艘聚髙臺一徑通雲移

吳岫雨帆轉楚江風登閣悲瓢梗停舟憶斷蓬歸

期與歸路松桂海門東

臨春結綺望僊三閣陳至德二年建在華林園光昭殿前高數十丈並數十間其窗牖户壁欄檻之類皆以沉檀爲之又飾金玉間以珠翠外施珠簾内設寶帳其服玩瑰麗近古所未有其下積石爲山引水爲池植以奇樹雜以花藥後主自居臨春張麗華居結綺龔孔二貴嬪居望僊並複道往來使女學士與狎客賦詩采其尤豔麗者被以新聲有

玉樹後庭花臨春樂等曲君臣酬歌自昏達夜劉禹錫詩遙泰城六代競豪華結綺臨春事最奢萬戶千門成野草只緣一曲後庭花

商飈館齊武帝建在蔣祠西南去城十五里九月九日登此以宴群臣

士林館臺城西梁武帝建以延集學者

化龍亭在幕府山側晉元帝與彭城王玄西陽王羕南頓王宗汝南王宏渡江之所讖云五馬渡江一馬化龍故名

東冶亭續志云在東二里汝南灣西臨淮水晉太元中三吳士大夫置亭爲送别之所謝安爲揚州表宏爲東揚郡祖道於冶亭羣賢畢集南史王裕之元嘉六年遷尚書令固辭表求東遷改授侍中及東歸帝幸東冶餞送乾道五年留守史正志於半山寺前重建劉珙以四面皆山作亭於旁以知稼名景定辛酉馬光祖新之又增一亭扁曰瑞麥與知稼對峙是年上元惟政鄉麥秀兩岐知縣鍾蜚芝因以名亭兩山蛩談建康舊治冶亭常在鍾山

住陽元文宗在金陵亭去行邸近常遊幸見褱集

題詩命侍臣模寫藏諸篋

冶亭在冶城

征虜亭在石頭塢晉太元中創丹陽記曰太元中征虜將軍謝安止此亭因以爲名南史何尚之遷吏部郎告休定省送別於野渚及至郡父叔度謂曰聞汝此來傾朝相送此是送吏部郎非關何彥德昔殷浩亦嘗作豫章送別者甚衆及麋徙東陽船泊征虜亭積日乃至親舊無復相窺者（徐陵送新

安王詩鳳吹臨南渚駕餞東平亭輿廻漳水乗旆轉洛濱笙池凍班輪響風蹤羽盖輕燒田雲色暗古樹雪花明岐路一回首流襟動眷情

甘露亭陳大建七年秋甘露降樂遊苑詔於苑內覆舟山立亭 按輿地志宋元嘉中移晉北郊壇出外以其地爲北苑更造樓觀於覆舟山上大設亭館侯景之亂焚燬至陳天嘉中更加修葺於山上立甘露亭陳亡並廢

白下亭驛亭也在舊東門外 考證李白獻從叔當塗

李陽冰詩云小子別金陵來時白下亭又云驛亭三楊樹正當白下門亭似在府西王安石詩有門前秋水可揚舲有意西尋白下門又有東門白下亭摧甓尨蔓寒葩之句亭又在府東意者新舊亭各在一處不然李白所謂金陵指鍾山耳李白別金陵諸公詩遊海水昔飛動三龍紛戰爭鍾山危波瀾傾側駭奔鯨黄旗一掃蕩割壤開吳京六代更伯王遺跡見都城至今秦淮間禮樂秀羣英地擅鄒魯學詩騰顏謝名五月金陵西祖余白下亭欲尋

廬峯頂先繞漢水行香爐紫煙熾瀑布落太清岩攀星辰去揮手緲含情

翠微亭在清涼寺山巔南唐時建宋乾道間毀紹熙中復建隸淮西總領所淳祐己酉總領陳綺新而大之爲登臨勝處今山頂如砥殆其遺址（林逋詩）亭在江干寺清涼更翠微秋階響松子雨壁上苔衣絕境常難得浮生不擬歸旅情何計足西巘又斜暉（又）渺渺江天白鴈歸石城秋色送僧歸長干古寺經行少爲到清涼看翠微

紅羅亭南唐時建古今詩話南唐後主作紅羅亭四面栽紅梅作艷曲歌之韓熙載和云桃李不須誇爛熳已輸了春風一半時淮南已歸宋景定志作羅江亭

忠孝亭在治城下壼墓側南唐時建名忠貞宋慶曆中改曰忠孝

清水亭城南三十里建炎四年岳飛敗金人於此

郡圃諸亭在建康府治內東北鎮青堂之左右金陵志鎮青堂在府廨東北其上爲鍾山樓其後爲清

溪道院木犀亭曰小山菊亭曰晚香牡丹亭曰錦堆芍藥亭曰駐春皆在堂左疊石成山上爲亭曰一丘一壑下爲金魚池曰真愛其南爲曲水池亭曰觴詠又其西爲杏花村桃杏蹊亭曰種春竹亭曰深凈梅亭曰雪香海棠亭曰嫁梅皆在堂右大抵皆馬光祖所建

清溪園亭 舊志溪西自百花洲入臨水小亭曰放船入門有四望亭榜曰天開圖畫環以四亭曰玲瓏池口玻瓈頃曰金碧堆曰錦繡隈其東有橋曰鏡

山橋東爲清溪庄南有萬柳堤傍曰溪光山色北有亭臨水曰撑綠其徑前曰添竹後曰香遠尚友堂西扁曰香世界先賢祠之東有亭曰花神北清如堂南綠波橋西有亭曰衆芳曰愛青其東又曰割青清溪閣之南清風關之北有橋曰望花隨柳其中有亭曰心樂其前曰一川風月自清風關東折而北亭出溪東三曰看竹曰蒼雪其後則爲靜菴菴後有石亭曰最高山後跨梁陟徑爲堂二前曰閒暇後曰近民諸亭惟割青爲舊餘皆馬光祖所

建宋名清溪園為小西湖今廢　右上元

越城一名范蠡城周元王四年范蠡築在古秣陵長干里今聚寶門外報恩寺西遺址猶存俗呼爲越臺金陵故事云范蠡佐越滅吳欲圖伯中國立城於金陵漢吳王濞敗保此城晉王含以水陸五萬逼淮温嶠濟師渡水大破含軍於越城南盧循犯建康劉裕修治越城按越絕書其城越范蠡所築城東南角近故城望國門橋西北即吳牙門將軍陸機宅故機入晉作懷舊賦望東城之紆餘即此

城在三井岡東南一里而苑樓寺閣在岡東偏也
竇鞏詩傷心欲問前朝事惟見江流去不回日暮
東風春草綠鷓鴣飛上越王臺高蟾詩平生思覽
勝今日上高臺衆水從吳入羣山自楚來皇風
屢降伯業日悠哉撫事增惆悵孤懷鬱未開
丹陽郡城漢元封二年置丹陽郡孫吳移治建康淮
水南晉太康中始築城在長樂橋東一里南臨大
路城周一頃開東南北三門長樂橋即今武定橋
東南有長樂巷盖自城東角之內外皆是

王含五城在丹陽郡城之東考證晉王含錢鳳戰敗乃率餘黨自柵塘西置五城唐景雲中縣令陸彥恭於城側造橋渡淮水今五城渡是

秣陵城在宮城南八里小長干巷內梁宋北齊皆於秣陵故城跨淮立橋柵當是其地隋併入江寧

古江寧縣城今縣治西南七十里南臨江寧浦周六里餘

南郊壇吳太元元年始祭南郊晉元帝建武二年定郊兆於建鄴之南太興二年立於城南十餘里在

長樂橋東籬門外宋孝武大明三年遷於牛頭山
西在宮之午地梁武帝即位南郊爲壇在國之陽
今城東與婁湖相近
雩壇晉穆帝永和中立在南郊傍
方盟壇陳宣帝大建十年立婁湖側臨壇誓衆分遣
大使頒盟誓警四方以備周人
建康府社壇在城西南慶元元年留守張杓移置下
水門内秦淮南元時遷於城南門外越城之後卜
地十畝有奇週闌垣墻内按方地設社稷風雷雨

師壇及官廳廨宇以時祭祀縣社壇即在其南

明堂在國學南宋大明五年立其墻宇規制一如太廟作大殿屋雕畫而已惟十有二間以應朞數無古三十六户七十二牖之制梁天監中修築陳亡毁

太廟晉中宗置在秦淮西孝武太元十六年改築宋以後仍之至陳廢通典江東太廟門北有竹葉文石元嘉中得之陸澄云晉武帝郊禖石也

臨江驛臨江舊縣名因以名驛岑參詩古戍依重險

高樓見五凉山根盤辟道河水浸城陰庭樹巢鸜鵒園花隱麝香忽如江浦上憶作捕魚郎

新亭壘宋孝武入討元凶劭柳元景至新亭依山築壘東西據險察賊衰竭乃開壘鼓譟以奔之賊衆大潰金陵志云亭在城西南十二里壘不存 考證 元徽二年桂陽王休範舉兵潯陽蕭道成頓兵新亭以當其鋒築新亭城壘未畢賊前軍已至道成登西垣使陳顯達等與賊水戰大破之

侯景故壘在梧桐灣古大航城在其南 梁紹泰元年

北齊兵至建康陳霸先問計於韋載載曰齊人若分兵據三吳之路畧地東境則大事去矣今可於淮南因侯景故壘築城以通轉輸乃遣載於大航築侯景故壘使杜稜守之

周處臺一名子隱臺在古鹿苑寺後今京城東南遺址尚存

鳳凰臺在宋保寧寺後今杏花村東北宋元嘉十四年秣陵數見二異鳥集於山有文彩音聲諧和衆鳥附翼羣集時謂之鳳乃置鳳凰里築臺於山上

因以爲名今遺址猶存按宮苑記鳳凰樓在鳳臺山上宋元嘉中築李白宋齊丘皆有詩淳熙中留守范成大重建更榜曰鳳凰臺開慶元年總領倪垕復新之馬光祖作記（李白詩）置酒延落景金陵鳳凰臺長波寫萬古心與雲俱開昔時有鳳凰鳳凰爲誰來鳳凰已去久正當今日回明君越羲軒天老坐三台豪士無所用彈琴醉金罍東風吹山花安可不盡杯六帝沒蕪草深宮冥綠苔置酒勿復道歌鐘但相催（又）鳳凰臺上鳳凰遊鳳去臺空

江自流吳宮花草埋幽徑晉代衣冠成古丘三山
半落青天外二水中分白鷺洲總為浮雲能蔽日
長安不見使人愁（劉克莊詩）經月踈行臺上路秌
陵城郭怨秋風馬嘶衛霍空營裏螢起齊梁廢苑
中野寺舊曾開玉帳翠華今不幸離宮小儒記得
隆興事閒對山僧說魏公（郭功父詩）高臺不見鳳
凰遊浩浩長江入海流舞罷青娥同去國戰殘白
骨尚盈丘風搖落日催行棹潮擁新沙換故洲結
綺臨春無處覓年年芳草向人愁

雨花臺在城南聚寶山據岡阜最高處俯瞰城闉舊傳梁武帝時雲光法師講經臺上天爲雨花故名丹陽記云江南登覽之地三潤州之甘露姑孰之凌歊建康之雨花建炎兵後臺址僅存後人乃請均慶院舊額即臺基建寺尋毀隆興元年留守陳之茂重築咸淳元年馬光祖修烏衣園或謂臺與園相須園修臺亦不可不修光祖遂修臺宇視舊益恢宏繚以垣旁建披屋累石數百級以便登陟自撰記陳沂詩梁主臺前雪依然見雨花淨緣歸

佛界空味入僧茶城闕臨俱異川原望漸縣幾行
寒鴈影寂寞在平沙

烏衣園在烏衣巷東馬光祖立城南有王謝故居一堂扁曰來燕歲久傾圮馬光祖撤而新之堂後建亭館羅元詩烏衣池館一時新晉宋齊梁舊主人無處可尋王謝宅落花啼鳥秣陵春

繡春園宋時重建在府社壇東隸運司端平二年高定子記云昔得繡春園名及來將漕訪其遺址無知者有造船場餘地祇以廣圃乃築之

南苑在瓦棺寺東北宋明帝末年張永乞借南苑帝云且給三百年期滿更請後帝葬於此梁改名建興苑侯景攻臺城裴之高營於南苑即此

婁湖苑齊武帝永明元年望氣者言婁湖有天子氣乃築清溪舊宮作婁湖苑以厭之陳更加弘壯後其地爲光宅寺江總侍宴詩翠渚還鑾輅瑤池命羽觴千門響雲蹕四澤動容光玉軸昆池浪金丹太液張虹旗照島嶼鳳蓋繞林塘野靜重陰闊淮秋水氣涼霧開樓闕近日遠浪烟長洛晏諒斯在

鍋飲詎能方朽劣叨榮遇簪笏奉同行

江潭苑在新林路西梁大同初立輿地志武帝從新亭鑿渠通新林浦又爲池通大道立殿宇一名王遊未成而侯景亂事寢蔡宗旦金陵賦云訪江潭之大苑惟蕭滿之名存

孫楚酒樓在城西李白翫月於此達曉歌吹日晚乘醉着紫綺裘烏紗巾與酒客數人棹歌秦淮往石頭訪崔四侍御李白詩昨翫西城月青天乘玉鉤朝沽金陵酒歌吹孫楚樓忽憶繡衣人乘船往石

頭草裹烏紗巾倒披紫綺裘兩岸拔手笑疑是王
子猷酒客十數公崩騰醉中流謔浪棹歌客喧呼
傲王侯半道逢吳姬卷簾出揶揄我憶君到此不
知狂興羞一日一相見三杯便廻橈舍舟共連袂行
上南渡橋興發歌綠水秦客爲之謳雞鳴復相招
清晏逸雲霄贈我數百字字字凌風飈係之衣帶
上相憶每長謠(又)金陵夜寂凉風發獨上高樓望
吳越白雲映水搖清光白露如珠滴秋月月下長
吟久不歸古今相接眼中稀解道澄江淨如練令

人郄憶謝玄暉

芙蓉樓舊名北樓在丹陽城北(王昌齡送客詩)寒雨連江夜入吳平明送客楚江孤洛陽親友如相問一片水心在玉壺(又)丹陽城南秋水陰丹陽城北楚雲深髙樓送客不能醉寂寞寒江明月心

東南佳麗樓建康志在銀行街舊爲賞心樓久廢景定元年馬光祖建改曰東南佳麗樓即今縣治基

南磵樓舊志在府城西南近何尚之宅南磵即今躍馬澗

昇元閣一名瓦棺一名吳興按京師寺記瓦棺寺有瓦棺閣梁時建高二百四十尺吳順義中改寺爲吳興寺閣因名吳興南唐昇元初改寺爲昇元閣遂名昇元宋崇勝戒壇院近昇元閣故基院中建盧舍那佛閣亦高七丈里俗猶呼爲昇元閣龔頴運曆圖云開元九年江寧縣瓦棺寺閣西南久傾因風自正江南野史唐狄仁傑爲溧陽主簿犂公休沐妄昇元閣仁傑即席和詩有些散便疑千里望日斜常占半城陰句坐客皆驚南唐書云昇元

閣因山為基高可十丈開寶中王師收復人避難於其上越兵舉火焚之閣基舊有遺碣云抱雞升寶位走馬出金陵子建居南極安仁秉夜燈東陵驕十女騎虎渡河來莫知所指（李白橫江詞）人言橫江好我邏橫江惡一風三日吹倒山白浪高於瓦棺閣（又登瓦棺閣詩）晨登瓦棺閣極眺金陵城鍾山對北戶淮水入南榮漫漫雨花落嘈嘈天樂鳴兩廊振法鼓四角迎風箏杳出霄漢上仰攀日月行山空霸氣滅地古寒陰生寥廓雲海晚蒼茫宮觀

千門餘閶闔宇樓識鳳凰名當作百川勢神扶萬象傾靈光何足貴長此鎮吳京

勞勞亭在舊縣治西南八里勞勞山上古送別之所

輿地志云新亭壟上有望遠樓宋元嘉中改曰臨滄觀即勞勞亭故基(李白詩)天下傷心處勞勞送客亭春風知別苦不遣柳條青(又)金陵勞勞送客堂蔓草離離生道傍古情不盡東流水此地悲風愁白楊我乘青舸同康樂朗詠晴川飛夜霜昔聞牛渚吟五章今來何謝袁家郎苦竹寒聲動秋月

獨宿空簾歸夢長

新亭一名中興亭去城南十五里近江渚丹陽記京師舊有三亭俱廢隆安中丹陽尹司馬恢之徙創今地宋孝武入討至新亭修建營壘即位後王僧達始改爲中興亭趙宋乾道五年留守史正志即故基重建爲記 世說過江諸人每暇日輒相邀出新亭籍卉飲宴周顗中坐嘆曰風景不殊舉目有江河之異皆相視流涕惟丞相導愀然變色曰當共戮力王室剋復神州何至作楚囚相對泣邪孝

武寧康元年桓溫來朝王坦之謝安迎於新亭矣
詔移日（梁簡文詩）神襟愍行邁岐路愴徘徊遥瞻
十里陌傍望九城臺鳳管流虛谷龍驕籍春荄曉
光逢野映昕烟承日回沙文浪中積春陰江上來
櫛蘂帶風轉桃花含雨開聖情藴朱綺禮命表英
才顧憐砥砆質何以麗璵璠（陰鏗詩）大江一浩蕩
離悲足幾重潮落猶如蓋雲昏不作峯遠戍惟聞
鼓寒山但見松九十方成半歸途詎有蹤（張栻詩）
風景自今古新亭誰是非絕憐江水去還有故山

閒得失同千慮成虧共一機所思惟謝傅不但勝

淮淝

水亭二一在齊南苑中是陸機故宅乃王處士水亭今鳳臺山南傍秦淮是其處一在臺城寺（杜荀鶴詩）江亭當故國秋景倍蕭騷夕照明殘壘寒潮漲

古濠

賞心亭在下水門城上下臨秦淮盡觀覽之勝丁謂建景定元年亭燬馬光祖復立

折柳亭在賞心亭下忠定公張詠建爲祖餞之所久

廢景定元年馬光祖重建

練光亭在宋保寧寺 蘇魏公頌有遊保寧寺練光亭

詩

風亭在折柳亭東葉清臣建蘇州從事張伯玉爲記

咸淳乙丑馬光祖守郡有以故基告者乃累石爲岸剏堂三間前後軒如之厨舍諸屋挾翼其旁繚以花竹亦艤舟勝處云

白鷺亭在賞心亭西下瞰白鷺洲景定元年馬光祖重建 蘇文忠公軾嘗題其柱王勝之龍圖守金陵

一口而移南郡（東坡居士作長短句以贈之）千古龍蟠并虎踞從公一吊興亡處渺渺斜風吹細雨芳草渡江南父老留公住公駕飛車凌綵霧紅鸞驂乘青鸞馭却訝此洲名白鷺非吾侶翩然欲下還飛去（任希夷詩）江水悠悠淮水流臺城寂寂石城留淒凉白鷺洲頭月曾照前朝玉樹秋

二水亭在下水門城上下臨秦淮西面大江北與賞心亭相對乾道五年留守史正志因修築城壁重建李白詩云二水中分白鷺洲亭名取於此

覽輝亭在宋保寧寺後鳳凰臺舊基側寺有覽輝亭碑刓缺不可讀莫詳其人唯歲月可考盖熙寧三年夏四月也　觀此則保寧寺在今驍騎右衛倉無疑矣古井可據縣志以保寧爲建初謂南軒讀書保寧者非　右江寧

竹里城在東陽鎮東齊永元二年崔慧景叛向建康遣驍騎將軍張佛護直閣將軍徐元稱等六將據竹里爲數城以拒之今廢

仁威壘在白羊門內按南史周弘讓梁承聖初爲仁

威將軍城句容以居命曰仁威壘又故老相傳達奚將軍屯兵於此又名甲城

義臺在縣西南隅唐孝子張常洧旌表之所令李哲有記

梧園宮吳王別館有梧楸成林在縣西 古樂府云梧宮楸吳王愁

易拜堂在縣治中堂後淳祐間令張棨改建氷玉軒 趙時侃為令嘗請於朝均民賦稅棨其壻也因記曰晉人語云婦公氷清女壻玉潤非敢自謂玉潤

繼氷清也将以遂挹前言近瞻往行耳　右句容竝

平陵城在縣西三十五里在平陵山下周二里高一丈城有四門門外有濠闊六七尺　勝公廟記云固城吳時瀨渚縣楚靈王與吳戰吳軍不利遂陷此城吳乃移瀨渚於溧陽南十里改為陵平縣平王立使蘇遖為将戰敗吳軍以吳陵平縣改平陵縣按史記伍子胥槖載而出昭關夜行晝伏至於陵水膝行蒲伏稽首肉袒鼓腹吹篪乞食於吳市陵水即平陵也孟東野貞元中為溧陽尉縣南五里

有投金瀨瀨南八里有故平陵城周十餘步基址才高三四尺而草木甚盛率多大櫟叢篠蒙翳如塢如洞其地窪下積水沮洳深處可活魚鱉幽邃可落東野得之忘歸（趙子昂題孟東野平陵圖詩）騎驢耿耿入荒城積水空林坐自清政使不容投劾去也勝塵土負平生

永世城在縣南十五里周三百步遺址高一二尺

趙城在縣治東五里周一百步漢趙王禹屯軍之所

舊縣城在縣西北四十五里今名舊縣村　戚氏云城

巳圯毁惟巡檢寨後小坡上有城隍廟廟前有塘

蒋日用記云自唐初武德三年於此置縣及是巳踰百年至唐末天復三年移治今所後三年唐亡則此城為溧陽治與唐終始首尾盖三百年云

義城縣西南五十里有義城山下有村

梁城在縣西五十里周二百步

黨城在縣東十五里周一百五十步

射鴨堂在平陵城去縣治三十五里元和初縣尉孟郊建（郊嘗遊詠於此詩云）短簑不怕雨白鷺相爭

飛短樴畫芦蒲閙作豪橫歸笑伊水健兒浪戰無

光輝不如竹枝弓射鴨無是非

聯香堂在縣南趙丞相之別館也堂前植菊故名晚

香理宗御書額賜之

風月堂在縣治北乾道初知縣王季羔建張孝祥有

記

清閒堂在縣治後陸子遹建取李白碑琴心清閒百

里大化之語

小山池亭在平陵城小山側去縣西北三十里孟東

野嘗宿此亭賦詩堄嶺尖聳岫即小山也

寒光亭在縣西七十里三塔寺下瞰梁湖宋乾道中張孝祥於此賦詩亭依三塔古清幽松竹環除翠欲流曉色晴開千丈月波光冷浸一天秋瓔瓔影裏詩僧屋雲錫香中釣客舟風送不知何處笛鴈聲驚起荻花洲

廣生亭在縣東南負城面溪知縣鄧埏建陸子遹脩亭後有放生池亭廢池尚存

右溧陽

杜城在杜城山下即杜伏威屯軍處

溧水古城在縣西南一里
舊縣治在秦淮河北
舊社壇在縣西南二里　右溧水
東葛城在西三十五里梁臨淮郡治東葛城即此
西葛城在西北四十里
黄龍城在西南六十里和陽舊志云在烏江山如伏
龍因城此以斷其脉
飲馬池在西華山北相傳項羽飲馬處　右江浦
吴王城在姜家渡西吴主權嘗屯此宋宣和中闢四

門今址存

瓜步城在瓜步山側齊建元初太守劉懷慰築梁失江北高齊武平四年拜胡墅降陳後稱瓜步洚

胡墅城臨揚子江梁襲齊運輸陳與隋請平供此

瓦梁城在瓦梁堰上陳大建中伐齊取之元有壘

晉王濬城在宣化鎮隋晉王廣伐陳築對石頭城宋紹興中城宣化不果

盤城近盤城山下臨圩田宋有步軍司庄及兵寨

吐將臺在西髙岡上即今城隍廟基

将臺在東北三里兩臺相連舊傳古将王陶王鉞築
魏行宮在爪步山上太平真君十一年建
隋行宮大業元年帝幸江都置六宮于上沛在方橫
二山間
大軍忠勇軍士軍諸寨俱宋建在北城竹鎮陳李港
如歸館在東門街北唐建學於其故址
士林館在竹鎮唐郟滂有懷古詩陳霸先敗郭元建
于其地
六峯驛在北門內上沛武德尾澯湯村盤城宣化六

驛僎在郭外宋廢

郭璞墩在東五里近沈湖上有巨礎宋嘉熙中土人立寨於此

讀書堂在橫山前世傳梁昭明讀書其中唐僧神堅以堂爲太子院

六峯亭在縣學南臨滁河遠對定山六峯宋廢

遠畧亭在西高岡上宋郭振展西隅城孝宗嘉其功有遠畧打城語乃名亭 右六合

古固城春秋特吳築在縣南十五里高一丈五尺周

七里餘今廢　伍員奔吳闔閭用爲將舉兵破楚固城其城遂廢見勝公廟記及考宋紹興中溧水縣尉喻居中在固城湖湄得東漢溧陽長潘乾校官碑以爲其地即漢之溧陽也今按前漢地理志并溧陽縣志則固城在秦漢時爲溧陽地至唐初析溧陽溧水爲二縣而溧陽徙於永陽江北固城之地遂屬溧水今又析屬高淳云

開化城南五十里今廢　寰宇記云開化城在固城東即溧水舊地

竹城東南六十里今廢周羨成詩竹城何檀欒層碧分雉堞王封盡四塹同有固窮節似以竹名

皇姥城在大山南今廢

右高淳

應天府志卷二十二

雜志中

宅墓

齊武帝舊宅在清溪上臨秦淮齊書帝諱賾太祖長子生於建康清溪宅陳々后劉昭后同夢龍據屋上因小字龍兒永明二年幸清溪宅

梁武帝故宅在同夏里後爲光宅寺

吳是儀宅在臺城西明門儀儉不治產孫權見大屋人謂儀宅權曰必非

宋建平王劉宏宅王少而篤好文籍太祖愛之立宅
雞籠山盡山水之美

謝幾卿宅在舊府城東南八里幾卿免官居白楊
巷之石井朝中交好者載酒從之客常滿座

齊蕭子良宅在鍾山西竟陵王子良行宅詩云訪宅北山阿卜居西野外幼嘗悅禽魚早性羨蓬蒿

劉瓛宅在青龍山陽南史瓛居檀橋瓦屋數間上皆穿漏永平七年竟陵王子良表武帝為立館帝以檀橋地給之

梁沈約宅在鍾山麓名東田南史約遷尚書令名位雖隆重而居處儉素立宅東田矚望郊阜嘗爲郊居賦以叙其事又嘗賦東園詩有槿籬疎復密荊扉新且故之句鷄跖集云約宅成劉杳贊之約報云惠以二贊詞彩妍富便覺此地十倍

范雲宅在城東南七里臨秦淮何遜經范僕射宅詩旅葵應蔓井荒藤已上扉寂寂空郊野無復車馬歸瀲灩故池水蒼茫落日暉遺愛終何極行路獨沾衣

伏挺宅在古潮溝西北挺於宅中講論語時士大夫往聽者爲之傾朝生徒常數百人

韋載宅在白山見山下

唐王貞齡宅近清溪常建詩清溪深不測隱處唯孤雲松際露微月清光猶爲君茅屋宿花影藥院滋苔文余亦謝時去西山鸞鶴羣

冷朝陽宅在白下門外韓翃送朝陽還宅詩落日澄江烏榜外秋風踈栁白門前橋通小市家林近山帶平湖野寺連

徐鉉宅在亭子橋園池甚盛鉉宅有來賢亭宋裴迪詩結亭意在來賢者誰慕淸風爲駐留

張洎宅在秦淮北岸洎爲南唐參政時賜第

王安石宅在半山王安石後舍爲寺賜額報寧後退故居詩迺沂湫開新屋扶輿繞故園事遺心獨寄路翳已空存

王德逢宅在蔣山近後湖自號湖陰先生王直方詩話丹陽陳輔每淸明金陵上冢至蔣山過德逢居淸談終日歲爲常後頻歲訪不遇題一絕於門云

北山松粉未飄花白下風輕麥脚斜身似舊時王謝燕一年一度到君家（王安石詩）一水護田將綠繞兩山排闥送青來

蔡寬夫宅在清溪南宋貢院基是其地 南窓紀談云蔡寬夫侍郎治第清溪南穴地爲池數尺見有瓦礫驚異又深尺餘有金鏤瓦錫器多破碎交錯什壓於下竈下葦灰猶存又窮其傷大抵皆人居也然後知其下前代爲平地經六朝喪亂瓦礫積而至此高岸爲谷深谷爲陵信哉

國朝徐太傅宅在舊內西太傅名達瀕臨
太祖屢欲爲易之輒以天下未定
主上方宵衣旰食敢以家爲及定中原賜第于此表
其里曰大功以寵異之有家廟太常屬官歲祀以
爲常

吳大帝陵在鍾山陽今孫陵岡上有步夫人墩墩側
即塚地

晉元帝建平明帝武平成帝興平哀帝安平四陵在
雞籠山皆不起墳

穆帝永平陵在幕府山西俗傳穆天子墳即其地

康帝崇平簡文帝高平孝武帝隆平安帝休平恭帝

沖平五陵並在鍾山

宋武帝初寧陵在鍾山

文帝長寧陵與初寧近

明帝高寧陵在幕府山陽

梁昭明太子安寧陵在東北四十五里賈山前齊文

惠太子亦葬此名統武帝長子性仁孝聰慧過人

讀書數行俱下天監元年立爲皇太子出居東宮

惘思戀不樂武帝知之敕五日一朝多便留永福
省母丁貴嬪疾侍左右衣不解帶及薨步從喪還
宮至殯水漿不入口每哭輒慟絶武帝宣旨勸逼
日止一溢米不嘗菜果之味體素壯至是減削過
半見者莫不涕下自冠後即命省尚書事奏牘塡
塞諸所錯誤巧僞纎毫必照徐令改正而巳普通
中大軍北伐都下米貴太子菲衣減膳每霖雨積
雪遣腹心左右周行閭巷貧弊之家密加賑賜冬
月多作襦袴以施寒者若死亡無可歛則爲備棺

楫每聞百姓賦役勞苦輒斂容變色卒之日士庶惋惜

陳高祖萬安陵在城東三十五里舊名陵里石獸尚存今呼石馬冲

文帝永慶陵在陵山南鴈門山北

吳甘寧墓在直瀆山下

晉山簡墓在樂遊苑内 簡爲荆州刺史歸葬覆舟山之陰

郭璞墓玄武湖中有大墩里俗傳璞墓

卞壼墓在今朝天宮西義熙間盜發塜壼面如生兩
手悉拳爪甲穿背詔修治洪武中
太祖微行至朝天宮西見一婦人素服行哭已而大
笑
太祖問曰夫人何笑哭之頻對曰吾夫子皆死是以
哭然吾夫爲忠臣子爲孝子是以咲
太祖問墓所在指之曰去此數十步明日使人視之
乃卞壼墓也乃爲立廟曾極詩握手顏公拳透爪
歸元先軫面如生晉陵伐掘今無主獨有忠魂占

治城

溫嶠墓　嶠初瘞豫章晉思嶠功將爲造大墓於元明二帝陵之北陶侃表停移瘞及嶠後妻何氏卒子放之載喪還都詔瘞建平陵北

王導墓在幕府山西與宋明帝陵相近

顔含墓在靖安道旁曾孫延之銘十四代孫真卿重書立石

陸玩墓在鷄籠山玩爲太尉卒給兵千人守塚者七十家子尚書令納亦瘞此山

柳世隆墓在倪塘世隆曉術數於倪塘創墓與賓客

踐履每往常坐一處及卒墓正其坐處

劉瓛墓在青龍山（虞炎詩）下帷聞昔儒窺園信且逸聚學叢烟郊棲遯事環華戢景謝歸年税駕空悠日庭露已沾衣松門向蕭瑟憫憫神念周依依惠言容（謝朓詩）嘉樹因枝條琢玉良可寶着人陵曲臺垂惟茂淵道善誘宗學原鳴鍾霽幽抱仁焉徂宛洛清徽夜何早歲晩松陰結平原亂秋草不有至言揚終滯西山老（竟陵王蕭子良詩）漢陵淹館

燕晉彌洙風欽五都聲論空三河文義絕與禮適
前英談玄踰往哲明情日夜深微音歲時滅垣井
總已平烟雲從客喬爾欲牛山悲我悼驚川逝（蕭
子隆詩）升堂予不謬問道予未窮如何舜白日千
載隔音通山門一已絕長夜緬難終初松切暮鳥
新楊摧曉風榛闗向燕寄泉途轉銷空（柳惲詩）西
河寂高業北海望清塵曽徽誰與寄尚德在伊人
遺文重昭晰絕緒復紛綸露華向朝日蘭生無久
春芳歔動淵思撫軾徬髙隠山風起寒木野雀亂

秋楸蘙草時易宿素軌邈難躋（沈約詩）表闕欽迹
軌軾墓禮貞寵化途終渺默神理曖猶存歷駕木
掇幌高衢已委門日燕子雲舍徒望菫生園華陰
無遺市楚席有靈櫬玄泉倘能慰長夜且勿論

裴邃墓 子之禮梁黃門侍郎邃有廟在光宅寺西松
栢欝茂范雲廟在三橋蓬蒿不剪武帝南郊道經
二廟顧而嘆曰范爲已死裴爲更生大同初都下
旱蝗四籬門外桐柏凋盡唯邃墓犬牙不入當時
異之

王僧辯墓在方山僧辯爲陳霸先所害父子七人同瘞一穴宣帝天嘉中故吏衛卿許亨抗表請以家財造墓塟之

王安石墓在半山寺後（范成大詩）百歲誰人巧拙一丘底處酹成半世青苗法意當年雪竹詩情

李邈墓在青龍山 邈臨江人知真定府金人入寇城陷不屈而死贈昭化軍節度使

楊宗閔墓在鍾山鄉 宗閔代州崞縣人建炎初金人犯永康衆勸遯去閔曰吾結髮事戎身受國恩今

老矣惟有死耳城陷血戰而死贈太師魏國公謚
忠介子存中收葬鍾山

國朝中山王徐達墓在鍾山之陰 達鳳陽人年二十二從
高皇帝起兵滁陽授鎮撫時諸將崛起無適主首先
翼戴衆心乃服丙申從定建康下京口授鎮江翼
大元帥率兵圍毘陵丁酉克之轉攻寧國宜興皆
下之庚子敗僞漢兵於池州陞江南中書右丞丁
未克蘇州縛張士誠以歸嘗請事建康

一曰軍中稟命此賢臣事君之道吾甚嘉將軍然將
在外君不御自今軍中緩急將軍便宜行吾不中
制是年冬爲征虜大將軍帥諸將取中原
上曰諸將非不健鬭然能持重師有紀律無如大將
軍克沂州取益都東郡濟南洪武元年
上即位加中書右丞相信國公兼太子太傅克樂安
溯河入汴洛長驅抵崤函郡縣望風降附元主北
走遂入元都進圖太原謂諸將曰聞擴廓帖木兒
出兵寇北平六衛兵自足鎮禦我乘其虛彼首尾

牽制破之必矣引兵徑進擴廓帖木兒果還縱精兵夜擣其營擴廓帖木兒大敗乘驏馬遁去二年征臨洮李思齊不戰降西征平涼獲張良臣斬之陝西悉平三年總兵征沙漠取興元西平土番拓境極於西北始還進魏國公食祿五千石五年北征還命沿邊輯守十七年鎮燕召還明年二月卒年五十四贈中山王謚武寧 賜塋

上親爲神道碑文言達言簡慮精當提兵時令出不二諸将敬若神明受命而出成功而旋不自矜伐

至於封姑蘊府庫置胡宮美人財寶無所取婦女無所愛忠志無疵昭乎日月也

開平王常遇春墓在鍾山之陰遇春懷遠人初從劉聚知無成廼走歸

高皇帝從攻釆石元兵列陣磯上舟距三丈許莫敢先登王後至

上麾之前即挺戈大呼一躍而登敵披靡潰去遂拔釆石取太平授總管先鋒丙申敗蠻子海牙江中攻建康先登從徐將軍克鎮江再攻常州戰牛塘

皆潰堅擒僞吳徙將張德陞統軍大元帥癩子從
上取安慶破吳寇於長興復從
上征吳突入陣三戰三勝敵大敗去從
上援南昌遇彭蠡湖縱火焚僞平章舟湖水盡赤射
中敵梟將張定邊友諒喪魄退保鞋山諸將以漢
兵尚強欲圖後舉遇春在
上旁獨不言我師出湖口皆言江流急欲放舟下
上知諸將怯令舟盡扼上流乃應曰善率諸將並扼
湖口旬五日友諒食乏求戰遣火舟火筏禦之敵

奔潰酣戰自辰至未不解
上及遇春舟皆膠沙力脫
上舟又力戰得脫竟殲友諒陞平章政事從取廬州
自將平臨江攻贛州擒熊天瑞乙巳定南安南雄
韶州尋取安陸襄陽丙午克高郵淮安濠泗徐宿
安豐遂次太湖敗張士信于舊館明年擒士誠封
鄂國公副大將軍北伐破元都定中原皆先登所
過輒下師還次柳河川卒年四十
上震悼親爲文以祭稱開拓之功遇春十居七八追

封開平王謚忠武　賜塋　詔宋濂撰神道碑文

岐陽王李文忠墓在鍾山之陰 文忠盱眙人初名保

保於

高皇帝爲甥見于滁

上喜賜姓名朱文忠統兵援池州攻下太平取嚴州

授帳前揔制親兵都指揮使守嚴州僞吳率苗獠

水陸奄至王出奇大破之仍咨戚筏上順流下以

讋賊賊遁去同僉貢成率苗將蔣英劉鎮以降巳

亥會胡大海文忠拔紹興諸暨僞吳復攻嚴州破

之碧溪塢又破之胥口時吳陸元帥者據分水爲
漢李明道攻廣信降將蔣英劉鎮反金華謝再興
引吳寇東陽皆馳擊破擒之遂築新城五指巖下
吳將李伯昇來寇城堅不可拔即陞右丞乙巳
伯昇復寇新城兵勢甚銳文忠馳赴犯其鋒敵披
靡奮擊大破之丙午總水師下江浙即軍中加浙
江行中書省平章政事復姓李洪武元年平閩賊
二年副常將軍北征出遵化度鹿兒嶺遂次會寧
元將也速逆戰敗追至灤河會常將軍卒　詔爲

大将領其衆西援慶陽元兵急攻大同遂移兵至
馬邑猝與虜遇直前搏戰擒平章劉帖木又擒虜
四太王時雨雪引數騎覘虜去五十里因前阻水
虜乘夜果悉衆刼我堅壁不動度其疲分左右翼
奔之敵大潰三年復總兵北伐出野狐嶺遂克應
昌獲元君孫買的里八剌及后妃諸王班師封曹
國公五年復佐大将軍北伐文忠總東道輕騎襲
虜土剌河元哈剌張蠻子列營以待力戰馬中矢
持短兵接鬬饑得指揮李榮馬横槊大呼虜衆辟

易遂追至騁海七年北伐十二年理軍河岷洮鞏
十三年召還十六年兼領國子監事明年卒年四
十六追封岐陽王謚武靖　詔董倫撰碑文

東甌王湯和墓在鍾山之陰和鳳陽人元末率壯士
從滁陽王時
高皇帝謀斷出諸將右顧諸將驕蹇不用命獨和恭
謹受約束
上委任焉授管軍總管陳也先寇太平擊其水軍矢
中左臂益奮擊卒擒也先分兵定溧水句容陸統

兵元帥丁酉守常州取江陰癸卯大破士誠兵於
錫山斬其梟將還拜中書左丞乙巳取永新遂守
常州丙午同諸將克姑蘇有功陞左御史大夫方
谷珍據台溫渝降之乘勝下福州洪武元年虜陳
有定從
上幸汴取懷慶澤潞等州三年從大將軍平關隴明
年與諸將至定西襲擴廓帖木兒取寧夏定東勝
大同宣府封中山侯四年與傅將軍西征破瞿塘
蜀王明昇降十年加封信國公十四年從大將軍

北伐十八年討平五開山猺　賜第鳳陽尋諭築海上城起登萊抵江浙凡五十九處二十一年歸鳳陽二十七年入覲明年卒年七十　贈東甌王謚襄武　賜葬卒月四年神道未碑建文君令方孝孺銘之

蘄國公康茂才墓在慕府山茂才蘄人元末結義兵爲都元帥

上渡江茂才拒戰甚力立寨天寧洲諸將擊破之茂才以麾下三千人降

上喜拜水軍翼元帥從戰有功改營田使屯田大

陳友諒將犯建康

上密諭茂才曰有事任汝能辦乎茂才曰惟命

上曰友諒且來吾固欲速至汝素善友諒可誘之茂才曰家有老閽者嘗事友諒遣之必信乃爲書諭納欵意友諒得書大喜問康公何在曰守江東橋問何橋對曰木遣閽者歸余某日至江東橋呼老康必余應也茂才以書上

上命易橋以石友諒至見橋驚知茂才紿己矣復連

呼。老康亡應者兵遂潰
上擒吳惑漢平定天下此戰也後從破蘄黃戰鄱陽
圍武昌有功陞副都護收湖南敗吳平子門戰尹
山橋逼蘇州吳平進督府同知又從征下齊魯關
隴鎮河中節制太原諸城再征漢中卒追封蘄國
公諡武毅　賜葬

江國公吳良墓在鍾山之陰良初名國興後賜今名
定遠人與弟禎俱以勇畧稱從
上取滁和常爲先驅及渡江取太平定建康克鎮江

下常州功居多遂爲指揮使鎮江陰時張士誠據
姑蘇跨有淮東浙西江陰當其衝士誠又多變詐
以金帛啗我將士良繕城池遠斥堠嚴部伍敵不
敢犯
上方經營江湖而無東顧之憂者以良爲之扞蔽也
洪武三年封江陰侯平廣西諸蠻　齊王封青州
營建宮室十四年卒贈江國公謚襄烈　賜葬

海國公吳禎墓在鍾山之陰禎良之弟
上起兵從郭子興與之並駐和陽濠舊帥孫德崖來

謝食與子興有讒言兵鬬城中
上急呼禎整兵以入得不亂克采石破方山寨爲總
管尋授天興右翼副元帥助良守江陰屢挫賊鋒
吳平陞督府僉事從湯將軍降國珍還次昌國勦
海寇洪武三年封靖海侯大軍戍定遼禎總舟師
數萬由登州轉餉兵食充足未幾海上有警領兵
捕虜至琉球大洋俘倭賊以歸時時往來海上波
濤無警禎之功也卒贈海國公謚襄毅　賜葬

滕國公顧時墓在鍾山之陰　時濠人從渡江屢立戰

功由百夫長陞元帥尋授同知天策衛事從大將軍北定燕薊拜驃騎將軍大都督府副使洪武三年封濟寧侯爲征西左副將軍擒蜀明昇以歸從李將軍北伐分道入沙漠迷失道糧盡時獨整衆出戰虜敗走獲其輜重糧馬軍復振從大將軍鎮北平十二年卒贈滕國公謚襄靖　賜葬

安陸侯吳復墓在鍾山之陰 復合肥人甲午從克滁州授千戶累立功陞僉大都督府事征吐蕃十二年封安陸侯十六年卒謚威毅　賜葬

許國公王志墓在鍾山之陰 志濠人壬辰起鄉兵取濠又明年詔
上滁陽從克和州定金陵圍常州先登陞右副元帥又從征高郵下黃梅鏖友諒於彭蠡再征武昌還克廬州援安豐有功授親軍指揮使守六安北伐中原從馮將軍渡河取懷慶澤潞留守平陽移漢中將屯陝西深入察罕腦兒絕塞捕虜洪武三年封六安侯大將軍平沙漠傅將軍平雲南皆從有功卒贈許國公謚襄簡 賜葬

太常寺卿呂本墓在鍾山之陰本壽州人來歸丙午
爲中書掾史歷吏部尚書除太常卿十四年卒
賜葬

知府高復墓在縣境復字再興山東臨邑人洪武初
知長春府事爲政有惠愛旱禱於城隍夜夢神告
曰雨至矣天明果大洽歲登民頌其德改吉安同
知復知常州以老疾辭賜半祿贍之卒　勑葬

陳遇墓在鍾山之陰　賜葬有傳

太子少保王敞墓在土山　賜葬

太子太保梁材墓在白山　賜葬有傳　右上元

刑部尚書顧璘墓在彭城山

宋明帝故宅在青溪中橋北即位後改爲湘宮寺

吳張昭宅在秦淮南今聚寶門外

張悌宅在城南板橋

晉陸機宅在越城西北舊志云臨淮有二陸讀書堂帶秦淮幷鍾山最爲幽邃後機入洛作懷舊居賦即此

王導宅在烏衣巷南臨驃騎航今當在報恩寺北晉

記江左初立瑯琊諸王居烏衣巷導嘗使郭璞筮之卦成璞云吉無不利淮水竭王氏滅劉禹錫詩朱雀橋邊野草花烏衣巷口夕陽斜舊時王謝堂前燕飛入尋常百姓家按縣志云祥覽至江東即家烏衣其說無據江東諸王當自導始

謝尚宅在竹格渡今下水門內永和四年尚捨宅造莊嚴寺宋改名謝鎮西寺

謝安宅在烏衣巷驃騎航側　桓玄之亂欲以安宅為營謝混曰召伯之仁猶惠及甘棠文靖之德更不

侯五畝宅耶玄纁而止（蔡宗旦金陵賦）前予立予淮渚思驃騎之古航慕文靜其既遠宅五畝共已荒念憇菱猶勿剪歌詩人之甘棠（李白詩）青山日將暝寂寞謝公宅竹裡無人聲池中有虛白荒庭衰草遍廢井蒼苔積惟有清風閑時時起泉石

紀瞻宅在烏衣巷瞻爲鎮東長史乞歸進驃騎將軍宅側浮航遂名驃騎航

吳隱之宅在古都城南五里今雙橋門內所居內外茅堂六間籬垣仄陋妻子不免寒露

宋顧愷之宅在瓦棺寺東北愷於寺內建層樓爲畫所風雨寒暑不下筆必天氣明朗時乃登樓染毫即去梯妻子罕見

沈慶之宅在古城東南十里今上方橋左右南史傳云慶之居清明門外有宅四區室宇甚麗又有園在婁湖慶之一夕攜子孫徙居之以宅還官

何尚之宅在南澗側即今落馬澗

謝靈運宅在土山即康樂坊故居李白遊謝氏山亭詩淪老臥江海再歡天地清病閒久寂寞歲物徒

芳榮借君西池遊聊以散我情掃雪松下去捫蘿
石道行謝公池塘上春草颯巳生花枝拂人來山
鳥向我鳴田家有美酒落日與之傾醉罷弄歸月
遥欣稚子迎

王僧綽宅在縣治南古大社西周顗司馬秀蘇峻皆
居此禍敗目爲凶地僧綽曰大丈夫當以正道自
居何宅之有凶吉

宋秦鉅宅在江寧鎮南

國朝文禧張益宅在南門內正統中　賜第

吳張悌墓在板橋西

晉衛玠墓去城十里在新亭東

謝安墓在梅岡墓前惟立一白碑謂其功德難述

宋李琮墓在板橋西龍口山

楊邦乂墓在聚寶門外今報恩寺南有傳

戚方墓在城南高座寺後

秦鉅墓在處真鄉移忠寺側祖秦檜墓亦在江寧鎮南志之使詠奸作於既往者猶有可考云

尹起莘墓在新亭鄉印塘村

國朝寧河王鄧愈墓在城南西山之原愈虹人年十六率衆來歸充管軍總管從定金陵陞元帥守廣德丁酉移戍宣州下徽州婺源嚴州淳安轉僉書行樞密院事己亥畧浙西臨安大破吳閼林寨庚子饒州來附移鎮饒僞漢數遣舟師攻城王輙殲之辛丑率衆襲浮梁取樂平饒境悉定攻鄧克明撫州平

上定江西授行省叅知政事鎮洪都友諒來寇固守挫賊相持者三月會

上率援兵駐湖口友諒解圍去竟敗死甲辰新淦叛
擒其首賊從常將軍平臨江圍贛州熊天瑞降平
南安南雄韶州進江西右丞加湖廣行省平章移
鎮襄陽時郡縣新附綏輯得宜洪武元年以御史
大夫充征戍將軍攻下江淮未附州郡三年爲征
虜左副將軍平秦隴降河州朶甘烏斯藏封衛國
公五年爲征南將軍討溪洞蠻夷九年討土番烏
思藏躬追至崑崙山召還至壽春卒年四十一贈
寧河王謚武順　賜葬

黔寧王沐英墓在長泰北鄉英定遠人八歲喪母
上憐之撫爲子　賜姓朱年十八授帳前都督守京
口甲辰轉廣武衞親軍指揮使洪武元年取鉛山
崇安遂從大將軍克延平擒陳友定復姓沐守建
寧三年僉大都督府事九年鎮撫關西十年充征
西副將軍伐番部川藏抵崑崙山俘獲還封西平
侯十一年征西番夷其部落而歸又總兵畧亦集
乃路經寧夏歷賀蘭山涉流沙分兵襲擊擒脫火
赤愛還鎮關中十四年副傅將軍討雲南平之十

五年烏撒東川叛率兵往下之是年諸將班師留
鎮雲南撫綏蠻夷南服以靖二十一年平緬寇定
遠縱兵大戰敗之在鎮近十年卒年四十八追封
黔寧王謚昭靖　賜葬

虢國公俞通海墓在城南聚寶山通海巢人父廷玉
弟通源通淵結寨巢湖自守及聞
太祖駐和陽走歸款
上方規取金陵得水軍甚喜率師至巢湖拔出寨蠻
子海牙陳兆先之戰皆火攻敗其衆以功陞秦淮

翼元帥攻鎮江常州宣城敗呂珍與吳戰中流矢

右目失明從

上征友諒克銅陵攻下數城還定南昌友諒率衆圍

南昌

上往援大戰鄱陽湖乘風縱火射中漢梟張定邊相

持數日以七舟深入敵寨鏖戰飄飆遽出敵舟傍

我師大歡呼氣益奮遂殪友諒班師賜田及金帛

總兵畧劉家巷平廬州攝江淮行中書省事守廬

州繕城池與農田從征西至滅渡橋中流矢卒贈

號國公謚忠烈　賜葬

越國公胡大海墓在城南十五里大海虹人甲午謁
上為前鋒從入和州攻采石定金陵皆先登授右翼
統軍元帥領宿衛佐鄧將軍守宣州取徽嚴攻下
蘭溪收諸暨衢處廣信皆全軍獨克
上以婺浙東大郡通閩引越授江南行省守婺州壬
寅苗軍元帥蔣英叛刺殺大海降士誠後杭州下
縛英至京師
上命懸像刺英血以祭贈越國公謚武莊　賜葬

梁國公趙德勝墓在烏石岡德勝鳳陽人馬上運槊如飛人呼爲黑趙從太祖滁陽喜得驍將賜今名爲帳前先鋒從下和州遷總管先鋒從渡江下金陵遷領軍先鋒取廣德常州遷左副元帥陳友諒犯龍江虎口城龍江第一關德勝守之從朱文正取南昌守宮步三門敵攻門禦之坐門樓指麾士卒中流矢追封梁國公謚武桓　賜葬

郢國公馮國用墓在鳳西鄉國用兵亂里人推爲義

長甲午謁
上於妙山言先拔金陵合上意從克和州渡江下釆
石典親兵擒陳兆先於方山選驍勇五百人置之
麾下令入宿衛屏舊卒于外獨留國用侍卧榻五
百人乃安及攻建康國用率五百人先登遂平之
從下鎮江授萬戶克常州遷大元帥帳前都指揮
使從克婺州己亥攻紹興卒追封郢國公　賜葬

陝國公郭子興墓在聚寶山　子興濠人從
上渡金陵授管軍總管陞統軍元帥圍常州晝夜力

單衣甲生蟣蝨取宣州攻下郡縣鄱陽彭蠡之戰
賈勇先登斬獲數多陞鷹揚衛指揮使拔廬州安
豐平襄陽下衡辰還蹂高郵踣淮安克湖州平姑
蘇陞僉事督府佐大將軍守潼關潼關三秦門戶
也厲兵秣馬慎阨險要敵不敢窺兵東向洪武三
年封侯伐蜀巡北邊還十六年卒贈陝國公謚宣
武

營國公郭英墓在聚寶山 英濠人年十八從
上渡江克采石定金陵下鎮江廣德寧國江陰皆有

功

上大戰鄱陽英裹瘡奮擊射友諒中目陳同僉者敵

之梟將也善運槊馳入中軍

上方坐胡床呼曰郭四爲吾殺賊持鎗躍馬應手而

斃

上解赤戰袍衣之曰尉遲敬德不汝過也攻岳州還

克廬江襄陽從大將軍定中原攻城陷陣未嘗挫

敗歷河南都指揮赴鎮移鎮北平召進督府僉事

洪武十九年封武定侯充靖海將軍鎮遼東討納

哈出進征虜右副將軍仍鎮遼東討虜至捕魚兒海靖難後羅龍歸第永樂元年卒贈營國公謚武襄

沂國公金朝興墓在太平門外　朝興巢人乙未歸以功授中軍左副元帥從討閩浙陞僉大都督府事平西羌十二年封宣德侯征雲南卒　賜葬

芮國公楊璟墓在鍾山之陰　璟合肥人乙未從渡江授管軍萬戶從大將軍下江陵拜湖廣行省參政鎮荊州陞平章征廣西山西洪武三年封侯從大將軍鎮北平卒追封芮國公　賜葬

汝南侯梅思祖墓在鍾山之陰思祖夏邑人徐達攻淮安時以張士誠中書省右丞降從平浙西累官浙江行省右丞復從取山東北平河陝破王保保取興元有功洪武三年封汝南侯平雲南署布政司事民夷安之十五年卒　賜葬

丹陽男孫炎墓在聚寶山之陽有傳

太子少保唐鐸墓在南十五里鐸鳳陽人從攻江州授西安縣丞召還中書省管勾出知延平府召爲殿中侍御史陞刑部尚書初立詹事院兼詹事再

起爲太子賓客爲太子少保初
上起兵即從左右後每以故舊過之僚屬罪數連鐸
上以鐸篤行皆不問嘗曰鐸始友及臣至今三十四
年交不知變色口不出惡聲德有餘而才稍不足
卒 賜葬

方孝孺墓在聚寶門外山上 孝孺於聚寶門外受命
時門人廖鏞廖銘收其遺骸葬之于此甫畢而鏞
等見收

夏國公顧成墓在安德門外普花寺北 成湘潭人從

江都丙申來歸充帳前親兵常執盃侍
上出入初授千戶歷陞指揮僉事從平蜀征雲南皆
有功進督府僉事充征南將軍鎮貴州征五開六
洞苗除進右都督靖難兵起從盛庸戰真定被執
成祖解其縛遣至北平後以功封鎮遠侯卒贈夏國
公謚武毅

蔡國公徐忠墓在城南十五里永樂中　賜葬

鄆國公宋晟墓在聚寶門外永樂中　賜葬

平江侯陳瑄墓在大山之原瑄合肥人父聞謫戍遼

陞侯請代原戍從征累功陞督府僉事革除時詔
防江靖難兵至以舟降封平江伯永樂初督舟師
海運歲米百萬石置倉直沽尹兒灣城天津衛籍
兵戍守又起高丘嘉定爲運表識名寳山既開會
通河罷海運建議造淺艖二千艘歲運二百萬石
後增至五百萬石疏清江浦引水由管家湖入鴨
陳口達淮就湖傍築堤十里以便引舟浚儀真瓜
洲通潮鑿呂梁百步二洪石平水勢開泰州白河
通大江築高郵湖堤堤內鑿渠亘四十里避淮作

常盈倉五十區貯江南輸稅徐臨清德州皆置倉以便轉輸又濱河置舍五百六十八所舍置淺夫膠處俾導舟緣河堤鑿井樹木以便行人

國朝言漕運者皆莫及卒贈侯謚恭襄

浡泥國王墓在石子岡永樂中來朝卒　賜塟於此

太常歲祭

太子少保周瑄墓在安德鄉　賜葬

太子少保倪謙墓在新亭鄉　賜葬

太子少保童軒墓在鳳臺岡　賜葬

少保倪岳墓在新亭鄉堽墓村　賜葬

南京刑部尚書張瑄墓在唐家山　賜葬

南京右都御史張琮墓在鳳西鄉　賜葬

太保王以旂墓在白山　賜葬今縣東南與幽棲山

近非上元白山也　右江寧

周越王塚在大横山下　王名翳安王時葬

晉葛洪墓在縣西一里

紀瞻墓在東南二十五里

梁陶弘景墓在雷平山

唐顏真卿墓在縣東後顏村

國朝吏部尚書曹義墓在箭塘山　賜葬

太僕寺卿張諫墓在福祚鄉　賜葬　右句容

宋趙葵宅一在縣南一在縣北皆一里許（葵嘗避暑）水亭有詩云水亭四面珠闌遶簇簇游魚戲萍藻六龍畏熱不敢行海水煎徹蓬萊島身眠七尺白蝦鬚頭枕一枚紅瑪瑙六句已成葵遂睡去有待婢續云公子猶嫌扇力微行人正在紅塵道

漢史崇墓在埭頭里

陶譙墓在縣西南陶芥

宋錢時敏墓在上墟村　右溧陽

周左伯桃羊角哀墓在南儀鳳鄉孔家鎮伯桃哀戰國時燕人二人爲友聞楚王好士乃同去燕入楚値雨雪糧少伯桃并糧與哀令往事楚自入空樹中餓死哀至楚爲上大夫言於王備禮葬之伯桃一日見夢曰吾爲荆將軍所苦汝持兵冢上以助我哀泣曰吾持兵冢上安知汝之勝負乃開塚下從伯桃遂並葬焉

宋俞票墓在縣西琛山

國朝兵部尚書齊泰墓在縣南青絲洞　右溧水

楚項羽墓在烏江

宋張孝祥墓在黄悅嶺東七孔山

國朝南京吏部郎中莊㫤墓在定山　右江浦

唐陳融墓在棠邑鄉貞元中呂溫表其墓謚曰貞曜先生　右六合

宋魏良臣墓在縣南十里地名南塘　右高淳

論曰太上立德其次則功與言皆足以垂諸不朽

異世之下思其人而不得見至於宅墓所在猶欲
追識其處語云高山仰止景行行止斯之謂矣
國朝諸元功墓以例不得立傳故詳列于其下若名
賢行事已表見于傳故不書書　賜葬者尊君命
也

府志卷之三十二終

應天府志卷二十三

雜志下

寺觀

靈谷寺 在蔣山東南舊於獨龍阜建道林寺梁改開善寺宋改太平興國後改蔣山 國朝洪武初徙山之東偏改名靈谷自山門入松徑五里乃至寺其中路履之有聲鼓掌則聲若彈絲俗呼琵琶街梵王中殿不施一木皆甃甓空洞而成其殿廡規制彷彿大內有吳偉畫壁八幅今存其二後有浮圖

即梁荃寶誌幻身改葬於此塔前有石鑿泉道回
曲山水疏達則泉從石中流云即胡僧曇隱所得
八功德水也石傍有古松偃榦云
高皇月夜掛衣於上至今蟲蟻不生
雞鳴寺在雞鳴山洪武初爲普濟禪師廟後改爲寺
山廣數畝而規制盤折高下若數里有浮圖後瞰
玄武湖前俯京城登覽之勝處
清涼寺在石城門內崇山之阿寺極幽邃登望則京
城樓觀民居江上諸山一覽而盡寺始於吳順義

中爲興教寺南唐爲清涼道場李氏避暑宮也後
主嘗留寺中詩云未能歸去宿龍宮蘇軾捨爾時
像於寺中詩云問師不契前三語施佛空留丈六
身　國朝李東陽詩云城中一覽無餘地相外空
傳不二門

鐵塔寺在朝天宮後岡上宋泰始中建名延祚寺唐
時建塔寺內今寺廢塔存

棲霞寺在攝山即明僧紹故宅也劉宋泰始中建寺
陳江總有碑隋造舍利石塔唐改功德寺高宗製

明隱君碑南唐改妙音寺徐鉉書額宋改普雲寺

仁宗賜金寶方牌　國初仍名棲霞寺

弘濟寺在石灰山北臨大江洪武中即山建觀音閣

正德初因閣建寺

靜海寺在儀鳳門外洪熙初賜額寺中有危石下空

洞宋人題刻泊舟於下時在江滸也字刻尚存

祈澤寺在祈澤山劉宋時建梁置龍堂後爲祈禱所

北入山五里有天寧寺在青龍彭城二山之中甚

幽靜

永慶寺 在鐵塔寺後梁永慶公主建故名

幕府寺 在幕府山有嘉善寺多奇石崇化寺有梅花泉皆相連岡嶺間

草堂寺 在鐘山鄉臨大江舊建鐘山西麓 國初徙於此

封崇寺 在乾道橋南一名卧佛寺

鷲峯寺 在水門南成化中建

承恩寺 在大中街北景泰中建

金陵寺 在馬鞍山正統中重建

興學寺在太平門內

定林寺在方山舊建上定林於蔣山乾道中徙此

翼善寺在土山即謝安所擬東山梁名資福院　國
朝改今名

朝天宮在城內之西即吳冶城晉西州城劉宋國學
地卞忠貞墓側楊吳時建爲紫極宮宋改祥符宮
尋改天慶觀元改玄妙觀天曆中陞爲永壽宮
國朝洪武中賜今額南京習儀之所

神樂觀在天地壇東南隅設太常寺署官典祀禮樂

設樂舞生若干人習八音籥翟今南京惟釋奠六
雅樂

天妃宮在儀鳳門外永樂初建太常寺歲祀

洞神宮在淮清橋西舊蔣山有洞神宮宋留守姚希得作蜀三神廟於青溪側相傳爲陳江總宅歲旱禱於此

靈應觀在烏龍潭側

盧龍觀在獅子山陽

玄真觀在中和橋北

淸源觀在聚寶門外梅岡元至正初重建

棲眞觀在安德鄉正統中建　賜額　右上元

天界寺在聚寶門外落世橋南舊在城中大市橋北元名龍翔集慶寺學士虞集有記　國朝改天界寺洪武戊辰寺災徙建今所榜寺門曰善世法門永樂初即寺後建毘盧閣旃檀林後復災天順間重修僧錄司在焉

大報恩寺在聚寶門外吳赤烏建名曰建初梁天監初改名長干宋天禧中改名天禧元末兵燬　國

朝永樂中　勑太建之準宮闕規制名大報恩寺
有　御製碑文其琉璃塔在寺大殿後即古長干
舍利塔也嘉靖中雷火燬宇俱燼惟塔存

能仁寺在聚寶門外舊在古城西門劉宋元嘉中建
名報恩寺賜吳大和中改報先院南唐昇元中改
興慈院宋政和中始改能仁寺　國朝因之洪武
中改今所即天竺山

永福寺在能仁寺東正統中建　賜額

碧峰寺在聚寶門外即古瑞相院鐵索寺故基　國

朝洪武中僧金碧峯建　賜今額

西天寺在報恩寺後洪武中西域僧板的達建

賜今額

高座寺在聚寶門外梅岡晉咸康中建名甘露寺後

僧竺道生號所居曰高座因名亦名永寧寺　國

朝成化間又建寺於梅岡之東名永寧寺

寶光寺在梅岡東南舊名天王寺劉宋大明中建梁

廢爲昭明太子果園楊吳時又爲徐景通園南唐

保大間更建奉先禪院後葬曇師起塔遂名寶光

塔院元改爲寺曰普光　國初賜今額

弘覺寺在安德鄉牛首山舊名佛窟寺梁天監中司空徐度建唐大曆中建浮圖七級于峯頂劉禹錫有記宋太平興國中改崇教寺　國朝正統初賜今額

幽棲寺在幽棲山劉宋大明中建寺因山名唐貞觀初僧法融嘗禪定於此名祖堂山楊吳太和中改延壽院宋治平中仍舊

莊嚴寺在幽棲山陰即法融所居雪中天獻奇花之

處　國朝成化間始建寺　賜今額

慧光寺在新亭鄉黄家塘側宋治平中建名古光宅寺昔雲光法師講法華經花飛滿空講畢散去今佛守後山石如掌廣數畝云即講處

祝禧寺在安德門外八里正德間建

崇因寺在南十五里石馬山之陰按圖經劉宋名曠野寺齊廢梁大同中復唐開元中改禪居院楊吳太和初改崇果院宋改崇因　國朝重建又二里有永寧寺　在江寧

興教寺在縣治東北晉咸寧間建　國朝永樂中重建僧會司在焉

崇明寺在東北隅晉咸熙中建名義和梁昭明太子書額唐會昌中廢天祐二年重建宋太平興國五年改今額寺有浮圖甚峻

崇禧宫在茅山華陽洞南門之東即舊崇禧院唐王知遠師陶弘景見知於太宗元延祐中改爲宫

元符宫在茅山積金峯下宋嘉祐中蜀人王畧結廬煉丹於此後道士劉混康居之哲宗詔以爲元符

觀徽宗賜額元符宮　國朝重建置華陽洞靈宮

正副各一人

祠宇宮在中茅峯西唐天寶中勑於廟下立精舍度

道士焚修

崇元觀在治西南隅葛洪故宅梁天監中建宋皇祐

中重建有葛公井陶弘景爲記道會司在焉

五雲觀在華陽洞西五雲峯下宋天聖中王欽若建

庵於此景祐初賜今名慶曆初晏殊有記

聖祐觀在大茅峯頂又有德祐觀在中茅峯仁祐觀

在小茅峯供元延祐中建

玉晨觀在大茅峯下自高辛時展上公於此得仙後相繼修煉陶洪景隱居之所也內有古栢左紐若虬龍異狀齊梁以後碑記甚多連燬於火

崇福觀在中茅峯西白雲峯下初華陽宫道士王景溫退居結廬於此宋紹興間詔即所居建崇禧觀

右句容

報恩寺在縣東門外梁天監中建宋宣和中爲神霄宮後改爲寺李綱書額僧會司在焉

廣教寺在東門外長慶初金吾長史倪筠捨宅建賜額資聖禪院宋太平興國初改今額 國朝宣德初重建

廣法寺在西門外唐名零陵寺楊吳號資福院宋改今額

淨土寺在東南五十里丁山側唐初建爲雲泉院宋治平中賜今額宣和中更爲禪院後復爲寺

勝因寺在西五十里晉義熙初建唐改唐興宋改今額孟郊唐興寺觀薔薇詩忽驚紅琉璃千艷萬艷

閙佛火不燒物淨香空徘徊

清泰觀在治東南宋淳熙中移溧水廢額建道會司在焉

幽棲觀在北三十里梁普通初有隱士號幽棲伯煉丹於此舉家昇仙後門以宅爲觀

黄山觀在西四十里黄山下舊傳西晉時有黄鶴真人修道成仙唐天寶中建爲觀　右溧陽

開福寺在縣南門外唐開元中建　國朝永樂中重建僧會司在焉

興化寺在東北三十里唐大中初建名延安寺 國
朝洪武中重修改今名
無想寺在南一十八里無想山一名寂院
上方寺在西二十里即孫鍾種瓜處
香山觀在東北元延祐中建道會司在焉
尋仙觀在東南六十里仙壇鄉梁建於靈芝山鸞洞
右溧水
定山寺在縣東北三十里獅子峯下
石佛寺在東北十八里宋建炎中建 國朝洪武中

重建僧會司在焉

東濟寺在西三十里舊名湯泉院宋元祐中重建

接待寺在西二里洪武初建

玉虛觀在浦子口道會司在焉　右江浦

長蘆寺在縣南二十五里宋天聖中建　國朝洪武初重修劉攽王安石梅聖俞黃庭堅蘇軾有遊長蘆寺詩僧會司在焉

靈巖寺在東十五里靈巖山上唐咸通中建　國朝洪武初重建

卧佛寺在東北南唐保大中建　國朝洪武中重建

玄真觀在治西高岡之上宋隆興初建　右六合

保聖寺在縣東五里舊名龍城唐貞元中建宋祥符中改今額

儒童寺在東南二十五里唐景福中建

禪林寺在東二十里唐咸通中建　國朝永樂初復建

龍化寺在南五十里唐咸通初建

顯慈寺在西四十里唐中和間建宋紹興中改今額

國朝永樂初復建

祠山觀　在治南元至元初建

尋真觀　在治北　右高淳

論曰古有輶軒之使凡異代方言皆籍而奏之所以備遺忘垂觀省也金陵自吳越來上下二千餘年六代之豪華與夫名賢君子之遺跡蓋非竿牘所能盡茲特採其有關於興廢者宅墓已無可尋而其人因可槩見至於釋老之宮惟南畿志所書者書之曲阜無寺觀蓋聖人之居然也反經以正

人心則亦鄒魯之風矣

應天府志卷二十四

宦蹟傳一

秦罷建侯漢亦置牧迄於近代剖符分竹民社攸關簡迪賢哲表茲循良希遵逸轍作宦蹟傳

漢李忠字仲都黄縣人建武六年爲丹陽太守是時海內新定南方海濱江淮多擁兵據土忠到郡招懷降附其不服者悉誅之旬月皆平忠以丹陽越俗不好學嫁娶禮儀衰於中國乃爲起學校習禮容春秋鄉飲選用明經郡中向慕之墾田增多三

歲流民占著者五萬餘口三公奏課爲天下第一
遷豫章太守

晉溫嶠字太真祁縣人初渡江與諸名士並相親善王敦欲謀逆深忌嶠請爲左司馬嶠恐見害繆爲綜其府事以昵於敦會丹陽尹缺因說敦曰京尹輦轂喉舌宜得文武兼能公宜自選其才若朝廷用人或不盡理敦然之問嶠誰可作者嶠曰愚謂錢鳳可用鳳亦推嶠嶠僞辭之敦不從表補丹陽尹嶠猶懼錢鳳爲之姦謀因敦餞別嶠起行酒至

鳳前鳳未及飲嶠因僞醉以手版擊鳳幘墜作色
曰錢鳳何人温太真行酒而敢不飲敦以爲醉兩
釋之臨去言别涕泗横流出閤復入如是再三然
後即路及發後鳳入說敦曰嶠於朝廷甚密而與
庾亮深交未必可信敦曰太真昨醉小加聲色豈
得以此便相讒貳由是鳳謀不行而嶠得還都乃
具奏敦之逆謀請先爲之備及敦搆逆加嶠中壘
將軍持節都督東安北部諸軍事敦與王導書曰
太真别來幾日作如此事表誅姦臣以嶠爲首及

王含錢鳳奄至都下嶠燒朱雀桁以挫其鋒明帝
怒之嶠曰今宿衛寡弱徵兵未至若賊豕突危及
社稷陛下何惜一橋賊果不得渡嶠自率衆與賊
夾水戰擊王含敗之復督劉遐追錢鳳於江寧事
平封建寧縣開國公進號前將軍
褚翜字謀遠陽翟人蘇峻之亂京邑焚蕩人物凋
殘乃以翜爲丹陽尹翜收集散亡甚有惠政遷都
之議始寢
劉惔字真長相縣人永和中遷丹陽尹爲政清整

門無雜賓時百姓頗有訟官長者諸郡往往相效正惔歎曰夫居下訕上此獘道也古之善政司契而已豈不以其敦本正源鎮靜流末乎君雖不君下安可以失禮若此風不革百姓將往而不反遂寢而不問性簡貴有人倫識鑑每奇桓溫才而知其有不臣之志及溫爲荆州惔言於會稽王昱曰溫不可使居形勝地其位號常宜抑之勸昱自鎮上流而已爲軍司昱不納又請自行復不聽及溫伐蜀時咸謂未易可制惔以爲必克或問其故云

以蒱慱驗之其不必得則不爲恐温終專制朝廷及後竟如其言嘗薦吳郡張憑卒爲美士疾篤百姓爲之祈禱年三十六卒于官孫綽爲之誄云居官無官官之事處事無事事之心人以爲知言

庾龢字道季鄢陵人亮之子升平中代孔嚴爲丹陽尹表除重役六十餘事民賴之遷中領軍

王坦之字文度晉陽人侍中述子也弱冠有重名寧康初遷中書令領丹陽尹時桓温將移晉祚坦之與謝安盡心輔翼卒安社稷俄授都督徐兗青

三州諸軍事臨終言不及私惟憂國家之事朝野甚惜

劉穆之字道和莒縣人從劉裕起義事平遂受心膂之寄時晉綱寬弛威禁不行盛族豪行負勢陵犯小民窮蹙自立無所重以司馬元顯政令違舛桓玄科條繁密穆之斟酌時宜隨方矯正不盈旬日風俗頓改領堂邑太守義熙八年加丹陽尹裕擊劉毅以諸葛長民監留府總攝後事裕疑長民難獨任留穆之輔之加建威將軍長民果有異謀

而猶豫不能發乃屏人謂穆之曰悠悠之言皆云
太尉與我不平何以至此穆之曰公泝流遠伐而
以老母稚子委節下若一毫不盡豈容如此邪意
乃小安裕擊司馬休之中軍將軍道憐知留府而
事無大小一决穆之遷尚書右僕射尹如故十二
年裕北伐留世子爲中軍將軍監太尉留府轉穆
之左僕射仍爲尹入居東城穆之内揔朝政外供
軍旅決斷如流事無擁滯賔客輻輳求訴百端内
外諮禀盈堦滿案目覽辭訟手答牋書耳行聽受

口並酬應不相參涉皆悉贍舉又數答接賓客言談賞笑引日亘時未嘗倦苦裁有閑暇手自寫書尋覽篇章校定墳籍十三年卒於官

南北朝謝方明陽夏人宋永初中尹丹陽善治郡所至有能聲代前人不易其政必宜改者則以漸移變使無迹可尋

蕭摹之南蘭陵人宋元嘉時爲丹陽尹上言佛入中國已歷四代形像塔寺所在千數材竹銅綵糜損無極無關神祇有累人事不爲之防流患未息

請自今欲鑄銅像及造塔寺皆得列言湏報乃得
爲之文帝從其請

何尚之字彦德灊縣人宋元嘉中爲丹陽尹立宅
南郭外置玄學聚生徒東海徐秀廬江何曇黄回
潁川荀子華太原孫宗昌王延秀魯郡孔惠宣並
慕道來遊謂之南學會劉湛欲領丹陽乃徙尚之
爲祠部尚書

羊玄保南城人宋元嘉中爲永世令累官丹陽丞
轉尹廉靜寡欲頻授名郡爲政雖無幹績而去後

常見思不營財利處家儉薄
劉秀之字道寳莒人宋元嘉十六年除建康令性纖密善糾摘隱微吏民不敢欺紿以幹理著稱吏部尚書沈演之每稱之於文帝秀之爲治嚴肅以身率下大明二年遷丹陽尹先是秀之從叔穆之爲丹陽與子弟於廳事上飲宴秀之亦與焉廳事柱有一穿穆之謂子弟及秀之曰汝等試以栗遥擲此柱若入穿後必得此郡穆之諸子並不能中唯秀之獨入時宮禁市百姓物不時給值市道嗟

怨秀之以爲非宜陳之甚切廣陵王誕爲逆秀之入守東城遷尚書右僕射

徐陵郯縣人仕梁爲安右將軍丹陽尹性清簡祿俸與親族共之家至乏絶

王冲臨沂人起家梁秘書郎侯景平授中權將軍丹陽尹習於德令政尚平理雖無赫赫之譽久而見思

杜稜字雄威錢塘人事陳武帝於京口梁紹泰中爲丹陽尹武帝即位任遇益重武帝殂時内無嫡

嗣外有彊敵侯瑱安都徐度等並在軍中朝廷宿將唯稜在建康獨典禁兵乃與蔡景歷等祕不發喪奉迎文帝天嘉元年以預建立功改封永城縣侯尹如故稜歷事二朝並見恩寵末年不預征役優游建康賞賜優洽卒時年七十

袁樞字踐言陽夏人也家世顯貴貲產充積而樞獨居處率素非公事未嘗出遊榮利之懷澹如也陳天嘉中領丹陽尹在官清慎門無襍交而性復周密每有舉薦多會文帝意外人無知者

唐盧祖尚樂安人武德中爲蔣州刺史甚有能名遷
壽州都督
顔真卿字清臣曲阜人肅宗時爲昇州刺史清嚴
正直風采凛然人不敢干以私
徐知誥字正倫徐州人也天祐十四年爲昇州刺
史時江淮初定州縣吏多武人務賦斂爲戰守知
誥獨好學接禮儒者能自勵爲勤儉以寛仁爲政
民望歸之徐温聞昇有善理徃視之見其府庫充
積城壁修整乃徙治之知誥後復姓李氏改名昪

爲南唐烈祖
(宋)楊克讓字慶孫馮翊人開寶八年平江南命克讓
知昇州時初定之後克讓每視事自旦至暮決斷
如流無有凝滯當官以清幹稱加兵部員外郎
賈黄中南皮人太平興國二年知昇州爲政簡易
部内甚治一日客行府署中見一室扃鑰甚固啓
視之得金寶數十櫃直數百萬乃李氏宮閤中遺
物也即表上之太宗謂侍臣曰非黄中廉恪則亡
國之寶將枉法而害人矣賜錢三十萬視事五年

召歸闕累官參知政事

馬亮字叔明合肥人景德初自潭州徙知昇州事屬歲旱民饑湖湘漕米數十舟適至亮移文守將發以賑貧民因奏瀕江諸郡皆大歉而吏不之救願罷官糴令民轉粟相賙在郡務求民瘼舊俗失意相讐往往乘風縱火亮發覺誅惡少數人又治城東北乃唐德昌宮故地獲鋊二百餘斤鬻之以備供帳亮四守是郡有智畧敏於政事官至太子少保謚忠肅

張詠字復之鄄城人有治才真宗朝以禮部尚書
知昇州供奉官鄭志誠使昇州還言黄雀飛蔽日
又聞空中若水聲真宗因出書示王旦曰此皆民
勞之兆張詠在彼吾無慮矣城中多火詠廉得不
逞之人潜肆燔爇者斬之由是遂絶三年春州民
以詠秩滿願借留即授工部尚書令再任仍賜詔
褒奬殿直范延貴過金陵詠問沿途好官延貴以
萍鄉宰張希顔對詠大笑曰希顔固善矣天使亦
好官也即日同薦於朝希顔後爲發運使延貴閤

門衹候皆號能吏詠尋言州當水陸要衝有兇惡
累犯者請並許刺配是秋以江左旱歉命充昇宣
等十州安撫使出手札諭詠進禮部後以疾代還
詠剛方自任爲治尚嚴樂爲奇節眞宗嘗稱其材
任將帥以疾不盡其用云
薛映字景陽家於蜀進士及第初通判昇州累遷
樞密直學士知州事映學藝吏術俱優章奏尺牘
下筆立成爲治嚴明吏不能欺每五鼓冠帶黎明
據案決事雖寒暑無異時官以牛賦民出租牛死

租不得蠲耿上章言之真宗矍然曰此朝廷豈知邪因令諸州條奏悉蠲之後官至集賢院學士

薛顏字彥回萬泉人真宗朝知江寧府事有邏者晝刼人反執平人以告顏視其色動曰若真盜也械之果引伏轉右諫議大夫歷光祿卿

王隨字子正河南人天聖初自潤州徙知江寧府隨外若方嚴以寬爲治練習民事皆能用其所長歲大饑時轉運使移府發常平倉米計口日給隨不聽曰民饑由兼幷閉糴以邀高價耳乃大出官

粟私價遂平處士侯遺於茅山營書院教授生徒積十餘年自營糧食隨奏欲於茅山莊田内量給三頃充用從之在郡二年後官至同中書門下平章事

李若谷字子淵豐縣人明道間加集賢院學士知江寧府事在郡多惠政吏民懷之有卒挽舟過境若谷憐其寒瘠留養視之須春溫遣去民句於道者以分隷諸僧寺助給春爨未朞召還上言乾元節每年進銀絹各一千伏緣當府不產銀以是配

買累歲災傷人民貧困巳將省庫紬絹二千匹上
進候豐稔仍買銀進始詔銀依市價不得損民史
稱若谷性資端重治民多智慮愷悌愛人去後益
見思終叅知政事

張奎字仲野臨濮人慶曆八年江寧府治火諫官
言金陵始封之地守臣視火不謹宜擇才臣繕治
之遷右諫議大夫知府事奎簡材料工一循舊制
不踰時完鉏姦植良恩刑並施江表稱治還判吏
部流内銓終樞密直學士奎治身有法度風力精

强所至有治績吏不敢欺故知名一時
張方平字安道南京人皇祐初知江寧府慷慨有
氣節當官亮直未嘗以詞色假人在府二年入判
流内銓拜參知政事
劉湜字子正彭城人皇祐四年江寧饑擢知府事
湜奏運蘄州米五十萬斛以貸饑民
包拯字希仁合肥人嘉祐初知江寧府性峭直惡
吏苛刻務敦厚雖甚嫉惡而未嘗不推以忠恕與
人不苟合不爲辭色悅人平居無私書故人親黨

皆絶之雖貴衣服器用飲食如布衣時召權知開
封府累官樞密副使
王琪字君玉華陽人嘉祐間知江寧府先是府多
火災或託以鬼神人不敢救琪召令廂邏具爲作
賞捕法未幾得姦人誅之火患遂息琪性孤介不
與時合數臨東南名鎮政尚簡靜毎疾俗吏飾廚
傳以沽名譽故待賔客頗闊間造飛語起謗終不
自恤云
梅摯字公儀新繁人初令上元嘉祐三年知江寧

府摯性淳靜不爲矯厲之行政迹如其爲人尋徙
河中
馮京字當世江夏人嘉祐五年知江寧府諸縣公
事至即歷究之不以付獄報下捷疾一無壅滯人
服其敏明年以翰林學士召還累官樞密院
呂溱字濟叔揚州人治平間知江寧府精識過人
辯訟立斷豪右斂跡一時名輩皆推許云
傅堯俞字欽之須城人熈寧中知諫院遇事輒言
五年攺知江寧人以爲法令未安者必多更攺堯

俞到郡一遵條約曰君子素其位而行諫官有言責也郡知守法而已司馬光以清直勇稱之云

陸佃字農師山陰人元祐七年知江寧府人有盜姨害其兄者誣三人爲同謀皆抵罪佃獨疑之一訊立辨三人皆得釋由是人服其明

曾肇字子開南豐人元祐間知江寧府肇儒者有吏才文學法理咸精其能在郡多善政紹聖元年改知瀛州

蔣靜字叔明宜興人崇寧五年知江寧府抗直不

畏强禦茅山道士劉混康以技進賜號先生其徒
爲姦利奪民葦塲疆市廬舍詞訟至府吏觀望不
敢治静悉抵於法人皆稱快

沈錫字子昭揚子人大觀三年以徽猷閣待制知
江寧府張懷素誅朝廷疑其黨有脫者由是怨家
多誣告郡獄爲滿錫至察其妄者罪之因疏於朝
他郡繫者皆得釋歷知海泰湌宣四州以通議大
夫致仕

李彌遜字似之建炎二年江寧牙校周德叛執帥

宇文粹中殺官吏嬰城自守務倡檄彌遜以江東運判領郡事單騎扣賊壘以蠟書射城中招降賊通款開關迎之彌遜諭以禍福勉使勤王時李綱行次建康共謀誅首惡五十人撫其餘黨一郡帖然

呂頤浩齊州人建炎三年始改江寧府為建康頤浩以江東安撫制置使兼知府事特旨傳劉正彥為逆逼高宗避位頤浩在江寧奉明受改元詔赦會監司議皆莫敢對頤浩曰是必有兵變其子抗

曰主上春秋鼎盛二帝蒙塵沙漠日望拯救其肯遽遜位於幼冲乎灼知兵變無疑也頤浩即遣人寓書張浚曰時事如此吾儕可但已乎浚亦謂頤浩有威望能斷大事書來報起兵狀頤浩與諸將約會兵討賊時江寧士民洶懼頤浩乃檄揚惟忠留屯以安人心且恐傅等計窮挾帝繇廣德渡江戒惟忠先為控扼備俄有旨召頤浩赴闕供職上言今金人乘戰勝之威群盜恣蠭起之勢興衰撥亂事屬艱難豈容皇帝退享安逸請亟復明辟以

圖恢復遂以兵發江寧舉鞭誓衆士皆感厲將至平江張浚乘輕舟迓之相持而泣咨以大計頤浩曰事不諧不過赤族爲社稷死豈不快乎浚壯其言即舟中草檄進韓世忠爲前軍張俊翼之劉光世爲游擊頤浩浚總中軍光世分軍殿後頤浩發平江傅黨託旨請頤浩单騎入朝頤浩奏所統將士忠義所激可合不可離傅等恐懼乃請高宗復辟師次秀州頤浩勵諸將曰今雖反正而賊猶握兵居内事若不濟必反以惡名加我翟義徐敬業

可監也次臨平傅等拒戰顧浩被甲立水次出入
行陣督世忠等破賊傅正彥引兵遁顧浩等以勤
王兵入城都人夾道聳觀以手加額朱勝非罷相
以顧浩守尚書右僕射中書侍郎兼御營使改同
中書門下平章事高宗幸建康聞金人復入召諸
將問移蹕之地顧浩曰金人謀以陛下所至爲邉
今當且戰且避奉陛下於萬全之地紹興八年高
宗將還臨安除少傅兼知建康行宮留守顧浩引
疾求去除醴泉觀使贈太師封秦國公謚忠穆

葉夢得字少蘊吳縣人紹興初為江東安撫大使兼知建康府時建康荒殘兵不滿三千夢得奏移統制官韓世清軍屯建康崔增屯采石閘阜分守要害會王才降劉豫引兵入寇夢得遣張偉諭才降之以其衆分隸諸軍濠壽叛將寇宏陳卞雖陽受朝命陰與劉豫通夢得諭以福禍皆聽命及豫入寇下擊敗之偽齊兵遁八年除江東安撫制置大使兼知建康行宮留守又奏防江措畫八事一申飭邊備二分布地分三把截要害四約束舟船

五團練鄉社六明番斥堠七措置積聚八責官吏死守又言建康太平池州緊要隘口江北可濟渡去處共一十九預聚集民兵把截要害命諸將審度敵形併力進討金都元帥宗弼犯含山縣進逼歷陽張俊諸軍遷延未發夢得見俊請速出軍曰敵已過含山萬一金人得和州長江不可保矣俊趣諸軍進發聲勢大振金兵退屯昭關明年金復入寇遂至拓臯夢得團結沿江民兵數萬分據江津遣子模將千人守馬家渡金兵不得渡而去初

建康屯兵歲費錢八百萬緡米八十萬斛榷貨務所入不足以支至是禁旅與諸道兵咸集夢得兼總四路漕計以給饋餉軍用不乏故諸將得悉力以戰詔加觀文殿學士

趙鼎字元鎮聞喜人紹興二年代李光知建康府事時孟庾韓世忠皆駐軍府中多招安強寇鼎素有剛正之風庾世忠加禮敬兩軍肅然民既安堵商旅通行未幾移洪州

張浚字德遠綿竹人紹興六年命浚渡江徧撫淮

上諸戍浚入覲力請幸建康三十一年春金騎充
斥王權兵潰劉錡退歸鎮江遂改命浚判建康府
兼行宮留守浚至岳陽買舟冒風雪而行遇東來
者云敵方焚采石煙燄漲天愼無輕進浚曰吾赴
君父之急知直前求乘輿所在而已時長江無一
舟敢行北岸者浚乘小舟徑進過池陽聞亮死餘
衆猶二萬屯和州李顯忠兵在沙上浚往犒之一
軍見浚以爲從天而下浚至建康即辦行宮儀物
請乘輿亟臨幸二十二年高宗幸建康浚迎拜道

左衛士見浚無不以手加額時浚起廢復用風采隱然軍民皆倚以爲重高宗將還臨安勞浚曰卿在此朕無北顧憂矣節制鎮江江州池州江陰軍馬金兵十萬圍海州浚命鎮江都統張子蓋往救大破之浚招集忠義及募淮楚壯勇以陳敏爲統制且謂敵長於騎我長於步衛步莫如弩衛弩莫如車命敏專制弩治車孝宗即位召浚入見改容曰久聞公名今朝廷所恃唯公賜坐降問浚從容言人主之學以心爲本一心合天何事不濟所謂

天者天下之公理而已必競業自持使清明在躬則賞罰舉措無有不當人心自歸敵讐自服孝宗悚然曰當不忘公言除少傅江淮東西路宣撫使進封魏國公尋召浚子栻赴行在浚附奏請上臨幸建康以動中原之心隆興元年除樞密使都督建康等處軍馬後加尚書右僕射同中書門下平章事兼樞密使都督如故累贈太師謚忠獻

陳俊卿字應求興化人紹興八年登進士遷中書舍人時孝宗志在興復方以閫外事屬張浚浚以

俊卿忠義沈靖有謀充江淮宣撫判官兼權建康府事奏曰吳璘孤軍深入敵悉衆拒戰久不決危道也兩淮事勢已急盍分遣舟師直擣山東彼必還師自救而璘得乘勝定關中我及其未至潰其腹心此不世之功也會主和議方堅詔璘班師亦召俊卿奏陳十事定規模振紀綱勵風俗明賞罰重名器遵祖宗之法蠲無名之賦隆興初建都督府於建康俊卿除禮部侍郎參贊軍事張浚謀大舉北伐俊卿以爲未可會諜報敵聚粮邉地諸將

以爲秋必至宜先其未動舉兵浚乃請於朝出師
已而邵宏淵兵果潰俊卿退保揚州主和議者幸
其敗横議搖之浚上踈待罪俊卿亦乞從坐詔貶
兩秩知建康府逾年授吏部尚書歷觀文殿大學
士累章告歸淳熙五年復除特進起判建康府兼
江東安撫俊卿去建康十五年父老喜其再來爲
政寬簡罷横征時御前多行白劄用左右私人持
送俊卿奏非便孝宗手札奬諭除少保判建康如
故八上章告老以少師魏國公致仕贈太保謚正

獻

洪遵字景嚴鄱陽人乾道七年以端明殿學士徙
知建康府令民苗米正額外不輸耗聽自持斛槩
庾人不能爲奸時虞允文當國有北征志先調侍
衛馬軍出屯其在府者五軍謀築營砦無慮萬竈
遵徧行郊野求砦地無妨民廬舍塚墓區畫既定
始興役營卒醉妄言搖衆斬之三軍無敢譁有書
入旗亭挺刃椎壚者械付獄驛上奏未下統帥懼
得譴請自治之孝宗怒罷統帥遵亦坐貶未幾五

嘗成復原官仍拜資政殿學士

張燾字子公德興人初以忤秦檜罷歸十三年檜死起知建康建康積歲負内庫錢帛鉅萬悉爲奏免致仕復知建康金人窺江南民驚徙過半聞燾至人情稍安詔條上恢復事宜燾首陳十事大率欲預備不虞持重養威觀釁而動期於必勝尋除同知樞密院

劉珙字共父崇安人淳熙二年知建康會歲侵首奏蠲夏稅糧六十萬緡秋苗米十六萬六千斛禁

止上流稅米過糴得商人米三百萬斛貸諸司錢合三萬遣官糴米上江得十四萬九千斛籍主客戶高下給米有差又運米村落置場平價賑糴貸者無敢償起是年九月至明年四月闔境數十萬人無一人捐瘠流徙者進觀文殿學士屬疾請致仕孝宗遣中使以醫來疾革草遺奏言恭顯叔文近習用事之戒令以腹心耳目寄之此曹朝綱以紊士氣以索民心以離咎皆在此陳俊卿忠良確實可任重致遠張栻學問醇正可拾遺補闕願亟

召用之琪精明果斷喜受盡言事有小失下吏言
之立改臨鎮民愛之若父母聞訃罷市巷哭相與
祠之
葉適字正則永嘉人開禧間詔諸將四路出師適
告侂胄宜先防江不聽未幾諸軍皆敗乃除適知
建康兼沿江制置使適謂三國孫氏嘗以江北守
江自南唐以來始廢建炎紹興未暇尋繹乃請于
朝乞節制江北諸州及金兵大入一日有二騎舉
旗若將渡者淮民倉皇爭砍舟纜覆溺者衆建康

震動適謂人心一搖不可復制惟劫砦南人所長乃募市井悍少幷帳下願行者得三百人使采石將徐緯統以往夜過半遇金人蔽茅葦中射之應弦而倒矢盡揮刀以前金人皆錯愕不進黎明知我軍寡來追則已在舟中矣復命石跋定山之人劫敵營得其俘馘以歸金解和州圍退屯瓜步城中始安又遣石斌賢渡宣化夏侯成等分道而往所向皆捷金自滁州遁去時羽檄旁午而適治事如平時軍需皆從官給民以不擾兩淮民渡江者

給錢米其來如歸兵退進實文閣待制兼江淮制置使措置屯田遂上堡塢之議矜淮民被兵驚散日不自保適歲於墟落數十里内依山水險要爲堡塢使復業以守春夏散耕秋冬入保凡四十七處又度沿江地創三大堡石跋則屏蔽采石定山則屏蔽靖安瓜步則屏蔽東陽下蜀西護溧陽東連儀真緩急應援首尾聯絡東西三百里南北三四十里每堡以二千家爲率教之習射無事則戍以五百人一將有警則增募新兵及抽摘諸州禁

卒二千人幷堡塢内居民通為四千五百人共相守戍而制司於每歲防秋別募死士千人以為刼砦焚糧之用因言堡塢之成有四利大要謂敵在北岸共長江之險而我有堡塢以為聲援則敵不敢窺江而士氣自倍戰艦亦可以策勳和滁真六合等城或有退遁我以堡塢全力助其襲逐或邀其前或尾其後制勝必矣此所謂用力寡而成功倍也三堡既流民漸歸尋奪職奉祠後官寶文閣學士通議大夫

黄度字文叔新昌人嘉定初知建康府兼江淮制置使至金陵罷科糴輸送之擾活饑民百萬口除見稅二十餘萬擊降盜卞整斬盜胡海首以獻招歸業者九萬家伲胄常募雄淮軍已收刺者十餘萬人別屯數千人未有所屬度憂其為患人給錢四萬復其役遣之遷寶謨閣直學士加朝議大夫度以人物為己任推挽不休每曰無以報國惟有侍讀趣入覲此耳累疏乞休不許除禮部尚書

馬光祖字華父金華人寶祐二年以寶章閣直學

士知建康府始至官即以常例公用器皿錢二十萬緡支犒軍民減租稅養鰥寡孤疾無告之人招兵置砦給錢助諸軍婚嫁蠲縣稅折收絲綿紬帛倚閣除免以數萬計興學校理賢才辟召僚屬皆極一時之選拜端明殿學士知江陵府去而建康之民思之不已開慶元年復命以資政學士再知建康士女相慶光祖益思寬養民力興廢起壞知無不爲蠲除前政逋負錢百餘萬緡魚利稅課悉罷減予民修建明道南軒書院及上元縣學傳節

費用建平糴倉貯米十五萬石又爲庫貯糴本二
百餘萬緡發糴常減於市價以利小民修飭武備
防拓要害邊賴以安其爲政寬猛適宜事存大體
公田法行光祖移書賈似道言公田法非便乞不
以及江東必欲行之罷光祖乃可進大學士兼淮
西總領召赴行在遷提領户部財用兼知臨安又
以沿江制置江東安撫使知建康郡民爲建祠六
乞致仕不許歷叅知政事知樞密院致仕謚莊敏
光祖練兵豐財三至建康終始一紀威惠並行百

廢修舉遠今遺愛猶在民心可謂良吏已

姚希得字逢原潼川人開慶中知建康希得按行江上慰勞士卒衆皆歡說溧陽饑發廩賑濟全活者衆撥寧江軍自建康太平至池州列砦置屋二萬餘間屯戍七千餘人理宗聞之一再降詔獎諭加寶章閣學士

元岳天禎冠氏人大德十年爲建康路總管值歲饑官廩中無儲粟乃諭富戶出鈔二萬錠賑濟饑民賴以全活者甚衆時米價騰湧牙儈旁緣爲奸天

禎枝其尤桀黠者召商旅飲之酒以義諭之估值
乃平郡中立碑紀遺愛至太二年卒于官
大明顧佐太康人永樂十八年以陝西按察副使陞
應天尹公廉有威重當官裁切風釆凛然一時勲
貴豪猾皆為斂手時方之包孝肅云
鄺埜字孟質宜章人永樂間為御史時有言南京
鈔法壅滯者命埜往按之衆謂大獄將興埜至唯
治市豪挠法者奏曰市人聞令震恐今鈔法通矣
上頷之而罷宣德十年以陝西副使陞應天尹上言

京郡秩正三品特給銀印與在外府治不同凡有
政務面奉特旨及承行六部都察院劄付乃監察
官巡視遇有公務輒便追呼恣肆凌壓非所以崇
國體也宜定體式如古京兆尹斯可矣疏入從之
埜以養民為務凡市鎮田稅約束有法公私便之
歲大熟麥有兩穗者民歸德于埜拒弗受正統初
進兵部左侍郎
魯崇志天台人成化十年為應天尹寬大不苛刻
以清簡為政而眾務亦舉在職八年民懷思之

樊瑩常山人弘治五年爲應天尹時百姓殷富民知自愛鮮犯法瑩亦坦直不立威嚴與民言若家人民懷之

吳雄仁和人弘治十四年爲應天尹風局嚴整以肅清爲任時大璫任留臺者恃勢多所侵擾縣官不敢違雄一切裁之以法其勢少沮嘗曰任怨吾不辭但不至瘠吾百姓耳後亦不能害云

王爌字存約黃巖人嘉靖初爲應天府尹尹秩高視漢馮翊扶風先後者多委事邑令尹仰成而已

殫至悉心經理以息煩解苛爲務應天列郡留都
府監部寺咸所倚辦歲役冗濫者不可勝計殫悉
奏聞裁革不避怨咎　内府九庫裏外花園内官
監惜薪司原有額設季夫後因修理借撥坊夫每
歲例納銀二千餘兩惜薪司納銀四百七十餘兩
殫皆裁省又因災變陳言七事一論兩縣殷實人
户冒入　神帛堂者乞查復原籍當差一乞查革
九庫借撥人夫一論内官監自有各色軍民人匠
其後借撥篩簸銅絲膳盒等匠俱不應役止納銀

兩巳是額外之征今復加增民何以堪竊謂借撥
者宜照舊裁革新添者宜亟從停止一論龍江水
馬驛額設紅站船隻原奉
欽依不許常川占用今内府巾帽局監仍要應付常
川夫船乞
旨取斷一論　神帛匠及陵户園户不應全户優免
又論絲綿户給錢不便齋廩人府額外支請及罷
種馬均田賦輕荒稅皆切時病每一奏下民讙嘑
若吏生與胥吏語未嘗有怒色受錢事覺即案治

之人稱爲神明百餘年積弊湔洗殆盡
明興言治應天者以爌爲首民肖其像爲立祠今猶
思之不置云
孫懋慈谿人由進士先爲南科給事中慷慨多大
節正嘉間疏四十餘上皆關國家大體直聲振一
時以嘉靖十五年尹應天時承平久不無奸蠹公
下車以鋤強暴抑兼幷爲務
內府上納及織造侵賄頗爲民累乃力爲裁省重紙
湊賠尤甚上疏輕其役他如驛遞夫舡倉場歲計

及民壯工匠之在官者冒濫甚多悉爲清減釐正舊典諸司習儀於朝天宮皆縣爲設饌又則費益煩而民累公曰習儀臣職也迺官爲供餼哉毅然革之省費不貲迄今蒙其惠公嚴明而有體清操久而愈勵其治京兆也陳編脩沂謂其摘伏如廣漢器度如袁安表則如庾純不苟如劉晏其革習儀費也霍尚書韜謂其得大體倫司成文敘謂其能爲人所不能爲其爲有識所歎服類如此云以年及歸贈副都御史有教庵奏議行於世

大明王公亮洪武中爲應天府治中有政績超授府丞公亮益自淬礪民情吏治素所諳悉而惟公勤民親附之

龎嵩字振卿南海人嘉靖間爲府治中有惠政民甚德之立祠秣陵路口

宋胡旦字周父渤海人爲昇州通判時江南初平汰

李氏時所度僧十歲六七旦日彼無田廬可歸將
聚而爲盜悉黥爲兵遷左拾遺
蘇易簡太平興國中通判昇州清約如寒素太宗
召爲知制誥問曰卿所惟載惟石榴木器可見清
節
段少連字希逸開封人天聖中張士遜守江寧辟
通判府事少連通敏有才遇事無大小決遣如流
不爲權勢所屈還爲御史臺推直官
滕宗諒字子京河南人通判江寧府宗諒尚氣節

倜儻自任好施與卒家無餘財所蒞州喜建學學者傾江淮閒

沈遘字文通錢塘人通判江寧府遘以文學致身而長於治才歸奏本治論仁宗曰近獻文者率以詩書豈若此十篇之書為可用也除集賢校理歷龍圖閣直學士

楊邦乂字晞稷吉水人舉政和中進士值時多艱每言及國事詞旨慨慷以節義自許調建康府教授攺秩知溧陽會叛卒周德執府帥宇文粹中将

攻溧陽邑人震恐趙明者里中豪也以事繫獄邦
乂出之於庭諭曰汝能殄賊貰汝罪且官汝明許
諾飲巵酒縱之明約其素所善者果擒賊邦乂以
勞授通判建康府事建炎三年金人至江上杜充
爲御營使駐節建康李梲以戸部尚書督軍餉陳
邦光爲守充酷而寡謀士心不附且素無鬬志聞
虜渡江遂降梲邦光率官屬迎拜金人入城邦乂
獨不屈大書衣裾曰寧作趙氏鬼不爲他邦臣授
其僕曰持此見吾志吾必死之梲等愧謝則強擁

上馬見虜酋完顔宗弼使之拜邦乂叱曰我不降
何拜也遂遣歸明日虜酋使人誘邦乂授以僞官
邦乂以首觸柱流血曰世豈有不畏死而可以利
動者幸速殺我又明日虜酋與梲邦光宴立邦乂
庭下邦乂曰若等爲天子守土賊至不能抗更與
宴樂尚有面見我乎有劉團練者以幅紙書死活
二字以示邦乂奮筆書死字金虜相顧動色然未
恐加害已而再見宗弼邦乂不勝憤激遥望即大
罵曰若犬羊穢我中原天寧久假汝行將磔萬段

何得復污我宗祊大怒殺之剖取其心明年州以事上聞贈直秘閣即死所立廟賜額褒忠官其子二人紹興七年加贈徽猷閣待制賜田三頃

元絳字厚之錢塘人明道初調江寧推官時江淮旱災官發廩米爲糜以哺流民絳躬自給視饑病者數萬皆得以濟攝上元令民有號王豹子者豪占人田畧男女爲僕妾有欲告者則殺以滅口絳捕寘於法有妻告夫爲人所殺訊之實不殺絳敕其妻曰歸治而夫喪陰使信謹吏跡其後望一僧

迎笑切切私語絳命取僧縶廡下詰妻姦狀即吐
實人問其故絳曰吾見妻哭不哀且與傷者共席
而襦無血汚是以知之安撫使范仲淹表其材除
秘書省著作佐郎知來新縣累官太子少保
李及字幼幾范陽人調昇州觀察推官資質清介
所治簡嚴喜薦下吏而樂道人之善寇準薦其才
擢大理寺丞
周必大字子充吉州廬陵人博學宏詞教授建康
府必大純篤忠厚爲文溫醇典雅士論宗之除太

學錄兼國史院編修官累官右丞相制誥典策多
出其手
王信字誠之處州麗水人紹興三十年進士授建
康學教授信有文學引誘後進循循不倦丁父憂
扶其喪歸草履徒行雖疾風甚雨弗避也士論重
之
元元明善字復初大名清河人弱冠游吳中有文名
浙東使者薦爲安豐學正改建康明善穎悟絶出
讀書過目輒記諸經皆有師法而尤深於春秋以

文自豪出入秦漢間在金陵每與虞集相切劘遂
漸精詣陞翰林學士
大明賀鈞字信夫廬陵人嘉靖間爲府學教授退遜
木慤以古道自處見上官不能俯仰與諸生言必
依孝弟忠信聞者畏服

應天府志卷二十五

宦蹟傳二

（南北朝）江秉之字玄叔考城人也宋主義符即位出爲永世令以善政著名徵建康令爲治嚴察京邑蕭然

顧憲之字士思吳人也宋元徽中爲建康令時有盜牛者被主認盜者亦稱已牛前後令莫能决憲之至覆其狀謂二家曰無爲多言乃令解牛任其之牛逕還本主宅盜者始伏辜發姦擿伏多如此

類時人號曰神明至於權要請託長吏貪殘據法直繩無所阿縱性又清儉彊力爲政甚得民和故時飲酒者得醇旨輒號爲顧建康言清且美焉

劉玄明齊時爲建康令清儉絶人日惟食蔬素性不喜飲酒嘗曰大禹聖人猶絶旨酒况吾人乎吏政爲天下第一

王沉齊秣陵令清廉戒慎身居榮祿而家處貧乏

何遠字義方剡縣人也梁武初平建康以遠爲令性清介秋毫無所受妻子饑寒如下貧者民祠祀

之

樂法才字元備淯陽人幼有美名遊建康造沈約約見而稱之梁天監中爲建康令不受俸秩比去任將至百金縣曹啓輸臺庫武帝嘉其清節曰居職若斯可以爲百城表矣

褚球字仲寶陽翟人少孤貧篤志好學有才思仕齊爲溧陽令在縣清白公俸之外一無所資梁天監中復令建康强直不畏權要吏民稱之

江革字休映考城人也幼而聰敏有才思梁天監

中建安王偉尹丹陽以革爲記室除建康正頻遷
秣陵建康令爲治明肅豪彊憚之
劉沼魏昌人梁時爲秣陵令博學有善政民皆思
之
孔奐字休文山陰人也梁元帝承聖間補揚州治
中從事史侯景新平每事草創憲章故事無復存
者奐博物彊識甄明故實問無不知儀注體式牋
表書翰皆出其手齊軍至後湖又四方擁隔糧運
不繼三軍取給唯在建康乃除奐爲貞威將軍建

康令時累歲兵荒戶口流散勍敵忽至徵求無所

陳霸先尅日決戰乃令兵多營麥飯以荷葉裹之

一宿之間得數萬裹軍人食訖因而決戰遂大破

敵後累宰大郡皆以清惠著稱

司馬申字季和溫縣人梁邵陵王綸尹丹陽以爲

主簿屬太清之難父母俱沒遂終身蔬食陳大建

九年除秣陵令在職以清能見紀有白雀巢于縣

庭

蕭引字叔休蘭陵人也陳後主時建康多盜乃以

引爲令民懷附之殿內朋主吳璡及宦官李善度蔡脫兒等多所請屬引一切不許引族子容時爲黃門郎諫引曰李蔡之勢在位皆畏憚之亦宜少爲身計引曰吾立身自有本末安能爲李蔡改行就令不平不過解職耳竟爲璡等坐免

(唐)卞吉嘗爲上元令安和不擾公餘之暇輒閉戶讀書而政事亦辦在職數年民懷思之

(宋)李闢之紹興三十二年知上元開明强敏才任有餘首言金陵鍾山慈仁三鄉實隣大江田疇化爲

水面乞除虛掛二稅從之時虜南侵帝勞軍江壖百司庶府所須情繹餽廩之屬無一不備以辨理聞特蒙召見且奏章剴切深中時病

曹之格知上元留心政術奸蠹纖毫必察有吏爲市虔欺租賦類一切以法從事豪猾斂跡昧旦即起坐廳事校治簿書有訟者立與剖斷獄無繫囚境內頌其平

鍾蜚英開慶間知上元創建學宇均民賦稅馬光祖姚希得皆重之景定二年惟政鄉麥秀兩岐蜚

英上其瑞理宗勑獎之

葛邲字楚輔丹陽人以蔭授上元丞會金人犯江上元當敵衝調度百出邲不擾而辦後知建康府

大明

陳奐字聚奎慈谿人永樂中知扶溝有善政擢督府都事以赤縣煩劇須幹理吏乃改上元奐被知遇益奮勵朞月縣中大治有婦與外遇而殺其夫者將殯矣奐於喪所擒婦詰問得實誅之人以爲神後改刑部主事

仁宗監國時素聞奐能及即位奐入奏事迎謂曰此

上元陳知縣乎其受知若此
姜德政江山人明達曉吏事景泰中知上元撫循惇獨勸課農桑諸所不便於民者皆為釐革有古良吏風又以農隙修縣治重建明道祠人不知役
王定安大興人成化中知上元平易為理人思之
程嚮字文純南城人嘉靖間知上元廉幹有治材時供億頗繁公私困斃嚮加意節省損浮費十之五六屢決疑獄毀淫祠為社學自縣治達句容塗中雨輒沒脛行者病焉嚮以贖金修治之其善政

爲諸邑最

(宋)程顥字伯淳河南人舉進士授鄠縣主簿嘉祐間調上元嘗攝縣事於坐處書視民如傷且言一命之士苟存心於愛物於人無所不濟以故治多善政茅山池有龍如蜥蜴而五色祥符中嘗取二龍入都中途失其一中使云飛空而逝民俗嚴奉不懈顥捕而脯之使人不惑見持竿粘雀者命即折其竿鄉民遂不敢蓄飛鳥邑田近美爲貴家富室以厚價薄其稅而買之小民苟一時之利久則不

勝其弊顯畫法不擾而税大均且塞陂以從民便每訟日不下二百爲政者疲於省覽無暇及治務顯處之有方不閱月訟爲之簡水運經邑境舟卒病者則留之爲營以處歲率數百人至者輒死顯察其由盡計留然後請於府給券乃得食比有司文具則困於饑已數日矣預白漕司給米貯營中至者即與之食自是生全者大半仁宗遺制官吏成服三日而除三日之府群官將釋服顯進曰三日除服遺詔所命莫敢違也請盡今日若朝而除

之所服止二日爾尹怒不從顥曰公自除之其非
至夜不敢釋也一府相視無敢除者
宋蘇頌字子容泉州南安人慶曆三年知江寧縣時
建業承李氏後稅賦圖籍無藝每發斂高下出吏
手頌因治訊他事互問民鄰里丁產識其詳及定
戶籍民或自占不悉頌警之曰汝有某丁某產何
不言民駭懼皆不敢隱遂刻剔夙蠧成賦一邑簡
而易行諸令視以爲法至領其民拜庭下以謝凡
民有忿爭頌喻以鄉黨宜相親善若以小忿而失

歡心一旦緩急將何賴焉民往往謝去或半途思其言而止時監司王昺王綽楊紘於部吏少許可及觀頌施設則曰非吾所及也調南京留守推官

葉義問字審言壽昌人紹興中知江寧時秦檜爲相擅威福所親有被役者同官欲縱之義問曰釋是則何以服他人卒後之遷通判江州

王鐙番陽人景定初知江寧縣舊無學鐙甫下車慨然以興學爲任適朝命置學官鐙曰有師無學非所以稱上旨即建學于縣廨北又置田若干畝

以備廩餼焉

元王蒙保定人大德間知江寧修築堤圩以政績聞

秩滿遷建德路推官

大明張士彬山陽人洪武間知江寧有政績擢監察

御史

王愷字時舉蒲圻人靖難兵至應天求堪治劇者

廷臣咸舉愷授江寧知縣時初定之後庶務旁午

愷有精力而勤敏果斷處之裕如由是政績著聞

命巡緝畿甸一日

上問錢穀出納愷對纖悉不遺後擢左春坊中允

胡謐會稽人天順間知江寧廉明有威斷事至剖決如流邑中稱平以經術自任政事之暇諸生執經問業者日常數人擢督學副使

(宋)劉宰字平國金壇人紹熙初爲江寧尉時民俗惑于巫覡宰下令保伍互相糾察奸無所容改業爲良民歲旱賑荒多所全活去官篋中惟詩囊而已調真州司法累遷直顯謨閣

(晉)劉超字世瑜臨沂人以忠謹清慎爲元帝所拔恒

親侍左右遂從渡江轉安東府舍人中興補句容令推誠於物百姓懷之常年賦稅主者常自四出詰評百姓家貲至超但作大函特別付之使各自書家產投函中訖送還縣百姓依實投上課輸所入有踰常年蘇峻亂死節

（南北朝）孫謙字長遜東莞莒人宋時為句容令清慎彊記縣人號為神明後歷二縣五郡所在廉潔居身儉素牀施籧篨屏風冬則布被莞席夏日無幃帳而夜卧未嘗有蚊蚋人多異焉卒官時年九十

二

（唐）岑植鄧州人文本孫也嘗爲句容令明達善斷尤
悉民情僞纖毫必察黜陟使源乾曜薦于朝

（宋）趙時侃金壇人慶元四年爲句容令初縣增科和
買六爲民害時侃白郡守吳琚府帑歲出萬三千
緡爲之代輸又修學宮取沒官田以養士邑人祀
於學宮

（元）趙靖至大中爲句容縣尹首建學校縣額歲辦紅
花若干頃非土所有民頗苦之靖爲請于上官獲

免有謝潤者尹是縣亦以政績著聞
程恭泰定二年尹句容以撫字爲政諸所不便於
民者亟除去治後有廢址乃植桑萬株民趨效之
有古良吏風
大明劉義諸城人明察曉吏事景泰間丞句容以政
績優異進知縣凡民間奸滑豪斷皆知其主名有
犯即捕治之里中肅然又俗以奢侈相高尚婚喪
多踰制者乃嚴爲約禁人多化之
徐廣曹州人成化間知句容抑强扶弱作養士類

有聲畿輔間

徐九思字子慎貴溪人嘉靖中知句容性清介恥逐流俗凡供億務從簡約事當興革毅然必行九年不懈民甚便之擢主事

（唐）楊於陵字達夫陝西人漢太尉震之裔孫也擢進士調句容主簿踞局峻整居官清介絕俗未嘗從人俛仰時韓滉節度浙西性嚴急惟見於陵歡然乃以其子妻之

（大明）鄺子輔郴宜章人永樂十八年為句容儒學教

諭方嚴端肅以儀軌自居稱師道者首子輔焉

漢潘乾字元卓陳國長平人楚太傅崇之末緒也光和中爲溧陽長有惠政崇禮興教校官碑稱其襮孤竹之廉蹈公儀之潔布政優優令儀令色矜孤順老表孝貞節推泮宮之教反決拾之禮顧漢至今千餘年碑多剥闕不可讀尚家藏而人誦之焉

隋達奚明大業初爲溧陽令盡心民事嘗疏鑿涇瀆以備旱潦

唐柳均字正平河東人嘗令溧陽訪求民瘼惠政周

洽有古良吏風

陸偘吳郡人大曆中爲溧陽令有政聲

宋羅彥輔字經世當塗人嘉祐進士補溧陽令值歲侵道殣相藉亟請發長平粟賑之且勸富家分穀全活者甚衆部使者將上其事彥輔曰救災令職也何以賞爲終知睦州事

章元任字莘民宣城人紹聖進士爲溧陽令時水潦爲災民流離轉徙迄無寧居元任發官粟并諭大姓出穀作糜以飼饑民全活者甚衆官至朝奉

大夫

鄭驤字潛翁玉山人元符中知溧陽縣歲饑民轉徙他郡漕司按籍徵稅驤曰稅出於民民亡稅何從出今不捐逋賦民亡愈多使者不能屈時又議鑿河瀆自建康導太湖水入江壞民田廬調江浙二十五州丁役費萬計時遣官視可否驤力言其害議遂止遷通判岢嵐軍

李衡字彥平江都人進士爲溧陽令先是吏與民不相浹每夏秋二稅督責甚嚴而逋負者歲積衡

至專以德化視民若家人民大悅服輸稅時先期與民約榜之縣門民讙趨之稅額皆辦有訟者隨輕重諭遣之囹無重囚隆興二年金犯淮堧人相驚曰寇深入矣他郡守多送其孥衡獨自浙右移家入縣民心大安時江淮間賊盜蜂起而縣境晏如轉運使韓元吉等列上治狀詔進一秩

陸子遹山陰人嘉定十二年令溧陽溧陽俗故武徙而信淫祠巫覡有白雲宗者以妖術誘致良民轉相憑結子遹至迺興學校習禮讓擇民之秀者

教之而使勸化其愚謂諸巫曰是不兩立有我無
若輩乃誅鋤其魁者一二人白雲宗所據民業悉
歸其主由是縣境肅然習俗頓革適以農暇治溝
瀆新公署郵傳橋路皆井然可觀溧陽賢令至今
言子遹
（大明）盧何生字允廸南豐人洪武間知溧陽縣以洗
寃澤物自任治事朞月刑政爲清有刺事官校過
縣挾勢索賄賂何生容以聞
上立誅之由是賢何生縣積逋稅萬計民貧無從出

何生諭富家貸輸又令籍荒田墾為已業逋皆完
在邑四年有不悅者屢言其短
上不聽益勞勉之
鄔璘新昌人宣德間初為溧陽丞能修其職尤鋤
抑强梗使不得暴良善有訟者即命持牒與仇家
俱來願解者聽胥隷不得至里門民大懷服會職
滿當去民請　闕借留一年陞知縣後卒於官百
姓立祠祀之
符觀新喻人弘治間知溧陽留心政術勸課農桑

輕徭薄斂民至今思之

沈鍊字子剛會稽人嘉靖間知溧陽性嚴明疾惡至甚有犯立捕治不少貸民間惴惴會奸猾畏罪造飛語中傷之尋調去後爲錦衣經歷論分宜父子見殺隆慶初優恤贈大理少卿

宋劉穎字公實西安人紹興二十七年進士調溧陽主簿時張浚留守建康金師初退府索民租未入者穎白浚師旅之後宜先撫字當盡蠲逋賦浚喜即奏免因遣其子栻與游累遷刑部侍郎寶謨閣

直學上

（唐）岑仲林亦文本孫爲溧水令以政績著聞

賈叔向以左拾遺爲溧水令政績爲諸邑冠

白季康太原人嘗令溧水以誠信化人不尚威嚴而性清介不取邑人至今思之

（宋）周邠字開祖元豐四年知溧水縣事稅賦外秋毫無擾于民有張革者亦以清介稱

（大明）高讓甫平陽人洪武初知溧水以廉能稱

燕壽咸寧人成化間知溧水政平訟理吏不能欺

羅信固始人景泰初知江浦縣誠實不欺民有事至縣庭者皆爲期約諭之不施鞭朴久之民大信服政是以和縣治圮壞信更新之歷任數載始終如一時稱良吏云

勞鉞德化人景泰間知江浦以興學育材爲先獎勵後進惟恐弗及一時士風彬彬然任六載擢湖州知府

彭烈廬陵人天順間任御史以言事謫知江浦廉介有守雖居謫宦而曉暢吏術不以案牘爲勞人

以是多之

周伍尚楚人世食采於棠楚平王時爲其邑大夫人稱曰棠君父奢爲太子建太傅費無忌爲少傅無忌無寵於太子常讒惡太子平王使建居城父守邊無忌又日夜讒建于王王考問其傅伍奢遂囚之無忌又曰奢有二子不殺者爲楚國患盍以免其父召之必至於是王使使謂奢能致二子則生不能將死奢曰尚至胥不至王曰何也奢曰尚爲人廉死節慈孝而仁聞召而免父必至不顧其死

胥爲人智而好謀勇而矜功知來必死必不來於
是王使人召之曰來吾免爾父尚謂胥曰聞父免
而奔不孝也父戮莫報無謀也度能任事智也子
其行也我其歸死尚遂歸楚人殺奢及尚

漢鍾離意字子阿山陰人舉孝廉遷堂邑令爲政愛
利輕刑慎罰撫循百姓如赤子初到縣市無屋意
出俸錢帥人作屋人齎茅竹或持材木爭起趨作
決日而成功作既畢爲解土祝曰興功役者令百
姓無事如有禍祟令自當之人多殷富縣人防廣

爲父報讐繫獄母死哭泣不食意憐傷之乃聽廣歸家使得殯斂丞掾皆爭意曰罪自我歸義不累下遂遣之廣斂母訖果還入獄意密以狀聞竟得以減死論顯宗即位徵爲尚書

晉

范廣字仲將順陽人舉孝廉元帝承制以爲堂邑令邑人劉榮坐事當死家有老母至節廣輒聽暫還榮亦如期而反縣堂爲野火所及榮脫械救火事畢還自著械後大旱米貴廣散私穀振饑人至數千斛遠近流寓歸之戶口十倍卒於官

南北朝劉懷慰字彦泰平原人也齊高帝欲置齊郡於京邑議者以江右土沃流民所歸乃治瓜步以懷慰爲齊郡太守懷慰至郡修治城郭安集居民墾廢田二百頃決湖灌溉不受禮謁民有餉其新米一斛者懷慰出所食麥飯示之曰旦食有餘幸不煩此因著廉吏論以達其意高帝聞之手勅褒賞進督秦沛二部後卒明帝嘗謂徐孝嗣曰劉懷慰若在朝廷不憂無清吏也

宋薛季卿知六合縣事縣瀕大江民多逐魚鹽之利

不勝則相聚爲盜鄉閭患之季卿嚴捕賞之格前後盡獲其徒終季卿之世無敢爲盜者官至兵部侍郎

朱定國字興仕廬江人進士神宗朝以尚書屯田員外郎知六合時王安石方興水利有建議開馬昌河通滁州者提舉宮不敢異定國力言其不可監司希安石意以定國沮撓屢移他局以困之卒不能變因請管庫奏留不行

(大明)陸梅中江人洪武五年知六合縣時天下初定

邑民方復業梅綏輯遠邇甚得其心乃建學校闢射圃祀壇公宇次第修舉人至今思之

歐陽德基龍陽人亦以洪武間知六合有愷悌之政後卒于官

茅宰字治卿山陰人嘉靖九年任六合知縣凡臺諫闕員多選縣令有幹局者以故進士治邑類皆嚴辦取聲名宰獨務寬大汰去浮費休養民力民以益親比去立祠祀之

熊吉臨川人弘治十六年知高淳興利革弊崇學

校勤撫字民德之
于鳳新淦人弘治間任高淳教諭時縣治初建未
遑絃誦鳳至乃制祭器考禮容朔旦會諸生講習
威儀甚整故淳言興學者以鳳爲首聞母喪即徒
步而歸士論重焉

論曰古之爲郡縣者顧不難哉民情非素習也土俗
之便安非所素知也一旦來吏於此上下之情不
能相通加以簿書之叢委文法之拘閡奸吏舞文
而弄法日窺伺於旁苟非明察有威斷而行之以

忠恕者何以稱斯任哉夫業已受專城之寄而與民泛泛然若適相值者去之日卒無可稱述茲非天子惠養元元置吏之意也儒先之言曰苟存心於及物雖一命之士必有所濟又曰廉生公公生明慎斯術而行之稱循良矣

應天府志卷二十五終

應天府志卷二十六

人物傳一

鍾山表鎮淮海之湄孕秀毓靈迺生賢哲乘時奮庸異術同功煌煌簡册範我後人作人物傳

漢張磐字子石丹陽人也以清白稱度尚爲荆州刺史見胡蘭餘黨南走蒼梧懼爲巳責乃僞上言蒼梧賊入荆州界時磐刺交阯徵下廷尉辭狀未正會赦見原磐不肯出獄吏牢持械節獄吏謂磐曰天恩曠然而君不出何也磐因自列曰磐備位方

伯爲國爪牙而爲尚所枉受罪牢獄夫事有虛實
法有是非辭實不幸赦無所除如恐以苟免求受
侵辱之耻生爲惡吏死爲敝鬼乞傳尚詣廷尉面
對曲直足明眞僞尚不徵者磬埋骨牢檻終不虛
出望塵受枉廷尉以其狀上詔書徵尚到廷尉辭
窮受罪以先有功得原辭後爲廬江太守
晉紀瞻字思遠秣陵人也少以方直知名吳平徙家
歷陽郡察孝廉不行後舉秀才尚書郎陸機策之
瞻詞旨通敏文義燦然機深加歎賞永康初州又

舉賓素大司馬辟東閣祭酒其年除鄢陵公國相不之官明年左降松滋侯相太安中棄官歸家與顧榮等共誅陳敏拜尚書郎與榮同赴洛在塗共論易太極榮曰太極者蓋謂混沌之時曚昧未分日月含其輝八卦隱其神天地混其體聖人藏其身然後廓然既變清濁乃陳二儀著象陰陽交泰萬物始萌六合闓拓老子云有物混成先天地生誠易之太極也而王氏云太極天地愚謂未當夫兩儀之謂以體爲稱則是天地以氣爲名則名陰

陽今若謂太極爲天地則是天地自生無生天地
者也瞻曰昔庖犧畫八卦陰陽之理盡矣文王仲
尼係其遺業三聖相承共同一致稱易準天無復
其餘也夫天清地平兩儀交泰四時推移日月輝
其間自然之數雖經諸聖孰知其始吾子云㦒昧
未分豈其然乎聖人人也安得混沌之初能藏其
身於未分之內老氏先天之言此蓋虛誕之說非
易之意也至于徐州聞亂日甚將不行會刺史裴盾
得東海王越書謂瞻等顧望以軍禮發遣乃與榮

各解轡乘車牛一日一夜行三百里還揚州元帝
爲安東將軍引爲軍諮祭酒轉鎮東長史元帝親
幸瞻宅與之同乘而歸以討周馥華軼功封都鄉
侯石勒入寇加揚威將軍都督京口以南至蕪湖
諸軍事以疾除會稽内史時有詐作大將軍府符
收諸暨令令已受拘瞻覺其詐便破檻出之訊問
使者果伏詐妄尋遷丞相軍諮祭酒論討陳敏功
封臨湘縣侯西臺除侍中不就及長安不守與王
導俱入勸進元帝不許瞻曰二帝失御宗廟虛廢

陛下膺籙受圖特天所授而猶欲守匹夫之謙非所以闡七廟隆中興也但國賊宜誅當以此屈已謝天下耳而欲逆天時違人事失地利三者一去雖復傾匡於將來豈得救祖宗之危急哉元帝猶不許使殿中將軍韓績徹去御座瞻叱績曰帝座上應星宿敢有動者斬元帝爲之改容及踐位拜侍中轉尚書上疏諫諍多所匡益嘗獨引瞻於廣室慨然憂天下曰社稷之臣欲無復十人如何因屈指曰君便其一瞻辭讓元帝曰方欲與君善語

復云何崇謙讓邪瞻才兼文武忠亮雅正俄轉領
軍將軍當時服其嚴教雖恒疾病六軍敬憚之以
久病請去官不聽復加散騎常侍及王敦之逆元
帝使謂瞻曰卿雖病但爲朕卧護六軍所益多矣
乃賜布千匹瞻不以歸家分賞將士賊平復自表
還家不許就拜驃騎將軍止家爲府尋卒

薛兼字令長丹陽人也父瑩有名于吴吴平爲散
騎常侍兼清素有器宇少與同郡紀瞻廣陵閔鴻
吴郡顧榮會稽賀循齊名號爲五儁初入洛司空

張華見而奇之曰皆南金也察河南孝廉辟公府除比陽相蒞任有能聲歷太子洗馬散騎常侍懷令司空東海王越引爲參軍轉祭酒賜爵安陽亭侯元帝爲安東將軍以爲軍諮祭酒稍遷丞相長史甚勤王事以上佐祿優每自約損取周而已進爵安陽鄉侯拜丹陽太守中興建轉尹領太子少傅自綜至兼三世傳東宮談者美之明帝即位猶中師傅之敬是歲卒贈左光祿大夫開府儀同三司

張闓字敬緒丹陽人吳輔吳將軍昭之曾孫也少孤有志操太常薛兼進之於元帝言闓才幹貞固當今之良器即引爲安東參軍甚加禮遇轉丞相從事中郎以母憂去職既葬元帝彊起之闓固辭疾爲優命敦逼遂起視事及元帝爲晉王拜給事黃門侍郎領本郡大中正以佐翼勳賜爵丹陽縣侯遷侍中元帝踐阼出補晉陵內史在郡甚有威惠元帝詔闓勉勵其德綏齊所涖勤功督察便國利人抑強扶弱使無雜濫闓遵而行之時所部四

縣並以旱失田闓乃立曲阿新豐塘溉田八百餘頃歲豐稔以擅興造免官後公卿並爲之言曰張闓興陂溉田可謂益國而反被黜使臣下難復爲善元帝感悟乃下詔曰丹陽侯闓昔以勞後部人免官雖從吏議猶未掩其忠節之志也倉廩國之大本宜得其才今以闓爲大司農闓陳黜免始爾不宜便居九列疏奏不許然後就職元帝崩以闓爲大匠卿營建平陵事畢遷尚書蘇峻之役闓與王導俱入宮侍衛峻使闓持節權督東軍王導潛

與闓謀宣太后詔於三吳令速起義軍陶侃等至假闓征虜將軍與陶回共督丹陽義軍又與蔡謨虞潭王舒等招集義兵以討峻峻平賜爵宜陽伯遷廷尉以疾解職拜金紫光祿大夫尋卒

（南北朝）陸季直秣陵人也祖懋祖宋廣州刺史父景仁中散大夫季直早慧懋祖甚愛異之懋祖嘗以四函銀列置於前令諸孫各取季直時甫四歲獨不取人問其故季直曰若有賜當先父伯不應度及諸孫是故不取懋祖益奇之五歲喪毋哀若成

人初母未病於外染衣卒後家人始贖季直抱之號慟聞者莫不酸感及長好學淡於榮利起家桂陽王國侍郎北中郎鎮西行參軍並不起時人號曰聘君父憂服闋宋丹陽尹劉秉引爲後軍主簿領郡功曹出爲望蔡令頃以病免劉秉與袁粲以蕭道成權勢日盛將圖之秉素重季直欲與之定策季直以袁劉儒者必致顛殞固辭不赴俄而秉等敗齊初爲尚書比部郎時褚淵爲尚書令與季直素善委以府事淵卒尚書令王儉以淵有至行

欲謚爲文孝公季直請曰文孝是司馬道子謚恐
其人非具美不如文簡儉從之季直又請倣爲淵
立碑終始營護甚有吏節時人美之遷太尉記室
參軍出爲東莞太守在郡號爲清和還除散騎侍
郎領左衛司馬明帝作相誅鋤異己季直不能阿
意明帝頗忌之乃出爲北海太守邉職上佐素士
罕爲之者或勸季直造門致謝明帝既見便留之
以爲驃騎諮議叅軍兼尚書左丞仍遷建安太守
政尚清靜百姓便之還爲中書侍郎兼廷尉梁臺

建遷給事黃門侍郎常稱仕至二千石始願畢矣無爲務人間之事乃辭疾還鄉里天監初就家拜太中大夫梁武曰梁有天下遂不見此人十年卒于家時年七十五季直素清苦絕倫又屏居十餘載及死家徒四壁立子孫無以殯斂聞者莫不傷其志焉

陶弘景字通明秣陵人也幼有異操年十歲得葛洪神仙傳晝夜研尋便有養生之志謂人曰仰青天覩白日不覺爲遠矣及長身長七尺有奇神儀

明秀讀書萬餘卷善琴棊工草隸未弱冠齊髙帝作相引爲諸王侍讀除奉朝請雖在朱門閉影不交外物唯以披閱爲務朝儀故事多取决焉永平十年上表辭禄詔許之賜以束帛及發公卿祖之於征虜亭供帳甚盛咸云宋齊巳來未有斯事朝野榮之於是止于句容之句曲山自號華陽隱居始從東陽孫遊岳受符圖經法徧歷名山尋訪仙藥每經澗谷必坐卧其閒吟詠盤桓不能巳巳時沈約爲東陽郡守髙其志節累書要之不至弘景

爲人圓通謙謹出處冥會建武中宜都王鏗爲明
帝所害其夜弘景夢鏗告別因著夢記永元初更
築三層樓弘景處其上弟子居其中賓客至其下
與物遂絶唯一家僮得侍其旁特愛松風每聞其
響欣然爲樂有時獨遊泉石望見者以爲仙人性
好著述尚奇異顧惜光景老而彌篤尤明陰陽五
行風角星筭山川地理方圖産物醫術本草著帝
代年歷又嘗造渾天象梁武帝入建康聞議禪代
弘景援引圖讖數處皆成梁字令弟子進之武帝

既早與之遊及即位後恩禮逾篤書問不絕冠蓋相望天監四年移居積金東澗善辟穀導引之法年逾八十而有壯容深慕張良之爲人簡文臨南徐州欽其風素名與談論甚敬異之大通初獻二刀於梁武其一名善勝一名成勝並爲佳寶大同二年卒時年八十五顏色不變屈伸如恒詔贈中散大夫謚曰貞白先生

紀少瑜字幼瑒秣陵人本姓吳養于紀氏因而命族早孤有志節常慕王安期之爲人年十三能屬

文賦京華樂王僧孺見而賞之曰此子才藻新拔
方有高名常夢陸倕以一束青鏤管筆授之云我
餘此筆猶可用卿自擇其善者其文因此頓進年
十九遊大學博士東海鮑曒雅相欽悅時曒有疾
請少瑜代講少瑜既妙玄言善談吐辯捷如流爲
晉安國中尉侍宣城王讀當陽公爲郢州以爲功
曹參軍轉記室坐事免梁大同七年爲東宮學士
邵陵王在郢啓求學士武帝以少瑜充善容貌工
草書吏部尚書到溉嘗曰此人有大才而無貴仕

將校之會溉去職後除武陵王記室參軍卒

唐

王昌齡字少伯江寧人有詩名登貞元進士第為秘書郎改江寧丞賦性鯁直蹈義而行不擇利害在邑亦有善政竟以不合貶龍標尉

宋

陳承昭昇州人為南唐高安令有政聲歷保義軍節度使初太祖從周世宗南伐承昭為都應援使太祖遇于淮上擊敗之追至山陽北禽承昭以獻周世宗釋之授右監門衛上將軍建隆初入朝以承昭知水利督治惠民五丈二河以通漕運都人

利之二年河成承昭言其蹟王仁表在南唐太祖爲致書李景令遣歸四年春大發丁壯數萬以承昭董修繖內河堤又令督諸軍鑿池於朱明門外以習水戰從征太原承昭請壅汾水灌城城危甚會班師功不克就乾德五年遷右龍武軍統軍卒贈太子太師

陸昭符昇州人開寶中江南以昭符爲奏進使來乞緩師後爲常州刺史有善政一日方視事忽雷電繞聽事中官吏震恐昭符叱之雷電頓止及舉

叅惟得大鐵索重數百斤人尤駭之昭符神兔自若命狀之庫以示後人

盧郢昇州人好學有才藝膂力過人善吹鐵笛江南後主時試賦擢第一嘗代徐鉉爲文命筆於吏口授而書之鉉以文進後主曰語勢似非卿作鉉以實對郢由是知名後來歸累官南全守多著治績

盧鑑字正臣昇州人授三班奉職監坊州酒稅以右班殿直爲鄜延路走馬承受公事李繼遷冦邉

與總管王榮敗走之又與鈐轄張崇貴擊賊焚其積聚擢閤門祗候爲本路兵馬都監復出蕩族帳獲羊牛萬計徙鳳翔秦隴階成等州提點賊盜公事尋爲都巡檢使徙利州都監李繼遷聲言石隕帳前有文曰天誡爾勿爲中國患鑑時爲承受入奏事真宗問之鑑曰此詐爲之以欺朝廷也宜益爲備至是繼遷陷靈武真宗思其言特遷右侍禁知儀州州有封勝關最險要繼遷欲襲取之聲言將由此大入諜者以告有詔徙老弱芻粟于內地

鑑曰此姦謀也且示羸弱揺民心臣不敢奉詔卒
不徙已而賊亦不至再遷供奉官知利州會歲饑
以便宜發倉賑民秩滿民請留詔留一年後徙知
丹州累遷恩州刺史爲環慶路鈐轄兼知環州改
西上閤門使卒

周啓明字昭回昇州人景德中舉賢良方正科既
召會東封泰山遂報罷於是歸弟子百餘人不復
有仕進意里人稱爲處士轉運使陳堯佐表其行
義於朝賜粟帛仁宗即位除試助教就加廩給久

之特遷秘書郎改太常丞卒啓明篤學藏書數千卷多手自傳寫而能口誦之

刁衎字元賓上元人初爲南唐秘書郎從李煜來歸授太常太祝出知桐廬縣太平興國七年應詔言事請禁濫刑帝悅之累遷殿中丞歷知婺光廬湖州以純淡夷雅知名子湛湜淵孫繹約俱登進士

秦羲字致堯江寧人世仕江左曾祖本岳州刺史祖進遠寧國軍節度副使父承裕建州監軍使知

州事李煜之歸朝也承裕遣義詣闕上符印太初悅其趨對詳謹補殿直令督廣濟漕船太平興國中有南唐軍校馬光璉等亡命荊楚結徒爲盜義受詔縛光璉以獻太宗壯之改供奉官決獄于淮南淳化中又督洛南採銅留有緒稱其有心計遣監興國茶務會楊允恭改茶鹽法薦義掌真州榷務尋提點淮南西路茶鹽得羨餘十餘萬遂與允恭同爲江淮制置擢授閤門祇候兼制置礬稅咸平初入奏真宗慰勞淮南榷鹽二歲增錢八十三

萬餘貫改内殿崇班又兼制置荊湖路江南群盜
久爲民患羲討捕皆盡四年領發運使稍遷東染
院副使明年廣州言澄海兵嘗捕賊希恩桀驁軍
中不能制部送闕下時以遠方大鎮宜得材幹之
臣帝曰秦羲可當此任復授供備庫使充廣州鈐
轄歷東染院使知蘇州改崇儀使提舉在京諸司
庫務因對求典藩郡遷内園使知泉州天禧四年
代還道病卒羲知書爲詩喜賓客士大夫許其蘊
藉歷財貨之任凡十餘年精勤練習號爲稱職

李琮字獻甫江寧人第進士調寧國軍推官州庾積穀腐敗轉運使移州散松民俾至秋償新者守將行之琮曰穀不可食強與民責而償之將何以堪持不下守乃止呂公著尹開封薦知陽武縣役法初行琮處畫盡理近邑民相率撾登聞鼓願視以為則徽宗召對擢江東轉運判官築惠民圩四十里奏陳塩法十六事行部按民田詭稱逃絕者命以戶部判官使江浙賦入甲它部以為轉運副使徙梓州路會瀘南羅兵詔充梓路轉運副使琮

到官納歲費備邊事瀘帥王光祖雷軍校相挺爲亂琮械繫告者付獄瀘人乃安璽書褒諭元祐初以言者論左遷知吉州歷潞州州有謀亂者爲書期日揭道上部使者聞之懼檄索姦甚亟琮置不問以是日置酒高會訖無他召爲太府卿時游天經議以礬水漬鐵爲銅可鑄錢琮上疏極言不當以僞爲寶轉刑部侍郎陝西人張天經上書詆時政琮議如律忤丞相章惇意出知杭州兼浙西兵馬鈐轄又遷高陽關路安撫使知瀛州上柱國隴

西郡開國侯卒子田字少愚登第試中書舍人兼校讐補完御前文籍封開國男校讐書成知東平府兼安撫使襲賊楊進等斬之轉太子詹事侍講遷御史中丞金人進兵河上除延康殿學士簽書樞密院兼大河守禦使還知福州奉使元帥府奉璽符冊書勸進高宗即位除端明殿學士同知三省樞密院事尋參知政事出爲江南西路安撫大使知洪州

張頡字仲舉昇州人第進士調江陵推官歲饑遣

使安撫頡條獻十事活數萬人知益陽縣縣接梅
山溪洞多蠻獠出沒頡按禁地約束召猺人耕墾
上其事不報累遷開封府判提點江西刑獄廣東
轉運使熙寧中章惇取南江地建沅懿等州克梅
山與楊光僭爲敵頡言南江殺戮過甚無辜者十
八九浮尸蔽江民不食魚者數月惇疾其說欲分
功啖之乃言頡昔令益陽首建梅山之議今日成
功權輿於頡詔賜絹三百匹尋擢江淮制置發運
副使改知荆南徙廣西轉運使時建廣原高順

州將城之頡謂無益朝廷從其議坐事罷歸未幾
進直龍圖閣知桂州入覲首言卿鄉者論順州不
可守信然時有獻言者謂海南黎人陳被盖五洞
酋領異時盛強且爲中國患今請出兵效力宜有
以撫納之命頡處其事頡使一介往呼之出補以
牙校喜而去詔問何賞之薄對曰荒徼蠻蛋無他
覬得是足矣尋罷兵海外訖無事久之劾罷尋知
均州哲宗立遷故職召爲户部侍郎頡所歷以嚴
致理踰年以寶文閣待制出爲河北都轉運使知

瀧州湖北溪徭畔復徙知荊南暴卒

王綸字德言建康人幼穎悟十歳能屬文登紹興第授崑山主簿歷鎮江婺州臨安教授權國子正特初建太學憑吏省記吏緣爲姦綸釐正其獘遷敕令所刪定官諸王宮大小學教授兼權兵部郎官言孔門弟子與後世諸儒有功斯文者皆得從祀先聖與庠序修禮樂宜以其式頒諸郡縣二十四年以御史中丞魏師遜薦爲監察御史與秦檜論事忤其意師遜遂論罷之踰年知興國軍檜死

召爲起居兼崇政殿說書尋兼權禮部侍郎二十六年試中書舍人高宗躬親政事收攬威柄召諸賢于散地詔命填委多綸所草論奏守臣裕民事乞毋拘五條從之兼侍講高宗喜讀春秋左氏傳綸進講輙合嘗同講官薦興化軍鄭樵學行召對命官且給筆札録其所著史兼直學士院遷工部侍郎仍兼直院二十八年除同知樞密院事金將渝盟邉報沓至宰相沈該未敢以聞綸率參知政事陳康伯同知樞密院事陳誠之共白其事乞備

禦已而綸病肺竭告請祠遣御醫診視二十九年
朝論欲遣大臣爲使覘敵且堅盟好綸請行乃以
爲稱謝使曹勛副之至金館禮甚隆一日急召使
人虜主御便殿惟一執政在焉連發數問綸條對
虜主不能屈九月還朝入見言鄰國恭順和好皆
陛下盛德所致然金已謀犯汀特以善意紿綸爾
綸舊疾作力丐外除資政殿大學士知福州高宗
解所御犀帶賜之明年知建康府兼行宮留守敵
犯境綸每以守禦利害驛聞多從之三十一年八

月卒贈左光祿大夫謚章敏
大明王興宗上元人洪武七年知府懷慶移蘇州器量宏廓吏卒有過諭之使愧赧既改又獎勸之人皆感德不敢犯法
楊勉江寧人風姿俊偉永樂初登進士改庶吉士授刑部主事有政聲累遷刑部侍郎
丁璿上元人永樂初登進士改庶吉士擢工部主事謫居潞河以修行聞起為御史累官至都御史
劉璉江寧人永樂十年登進士拜御史進山東布

政司參議督理邊儲茂著能聲官至户部侍郎
張益字士謙江寧人永樂進士選庶吉士授中書
舍人轉大理評事正統戊午改修撰授内使書巳
巳進侍讀學士知制誥益與夏昶同年昶見益所
撰石渠賦遂絶筆不作文益見昶寫竹妙絶亦不
復寫竹是歲七月也先入寇
上命益扈從死于土木之難贈學士謚文僖
王麟上元人宣德己酉鄉貢授儀真教諭轉國子
監正擢四川按察督學僉事陞山東天順初進

階奉議大夫致仕杜門不出卒年八十有三
金潤字伯玉上元人年十二能賦詩正統間鄉貢
授兵部司務才敏有識有言赤斤蒙古所産可資
戎器欲取之潤曰豈可使狄人知此遂寢己巳瓦
剌入寇
上欲親征潤白于尚書鄺埜曰細事未可重煩
車駕又請于王翺胡濙力上疏不報值變後爲少保
于謙所重每諮議庶務終遁去京師晏然擢南安知
府政暇彈琴寫畫賦詩以子貴乞休家居手製床

凡十事號洞天十友風神如仙壽九十賦詩一章
而逝
金紳潤之子景泰甲戌進士改庶吉士授刑科給
事中時同張寧上章疏每有獻替極受寵遇數賜
果餌進都給事中南京大理少卿刑部右侍郎性
猜介嚴毅門無雜賓鄉里留室無一識者成化間
江西大旱
命巡視以便宜行事休力罷征裁冗減獄境賴以寧
年四十有九卒于官子麒壽詩文學孝友舉進士未

仕而卒
盧維字廷佐江寧人天順丁丑進士自武庫主事累官湖廣左布政使皆有政績居父喪廬于墓側三年有産芝之異　詔以孝旌其門
龍夔江寧人戶部員外郎初有一道官附權貴乞免家徭役夔執不可青徐大饑往賑有法以老致仕子雨龍泉教諭善詩卒年九十鄉里甚重之
沈鍾字仲律上元人天順庚辰進士歸省父病侍踰年卒居廬三年未嘗言笑授南京禮部主事侍

即章綸嘗入賀欲委之同列鍾曰臣子事可與人較乎章擀謝尋拜按察僉事進副使督學爲諸生攺五經文後子爲楚府儀賓遂乞致仕日賦詩平生萬首文字之外世事無所聞

李旻字景陽江寧人景泰丙子鄉貢拜監察御史擢雲南按察僉事尚氣節名檢居官猶寒士家無餘貲亦鄉里所重者

倪岳字舜咨上元人父謙進士及第奉
命使朝鮮通曉外夷事引經辨問夷人聳服後官至

南京禮部尚書嘗祀北岳夫人姚夔緋袍神入室生岳因以爲名環偉秀異目光烱烱望之如神爲文敏捷天順元年進士入翰林爲編修考校纂緻精詳安雅進講
上前敷古義傳時政言意剴切音吐洪亮
上喜歷陞侍讀至學士留心世務經史之餘凡生民休戚財計登縮戎禦利害無不諳曉歷官執政每大廷集議慷慨持正論一時儀文古典軍國重計多所擬定又長於奏議一寫千言春容暢達考古

道令會文切理下至瑣屑案牘吏人旁候運筆如飛略不經意成化二十三年 茂陵升祔 詔禮官集議時耿裕爲尚書岳侍郎疏言 國朝九廟已備今

憲宗祔廟議者咸謂 德 懿 僖 仁 四廟以次當祧至

太祖爲百世不遷之祖是知尊 太祖而不知

太祖之尊其祖也昔周旣追王太王王季又上祀先公以天子之禮 國家自

[illegible]祖以上莫推其世則
德祖比周之后稷不可祧明甚
懿　僖　仁三祖以次當祧
太祖　文皇爲周文武百世不遷禮也
憲宗升祔當祧
懿祖一廟宜於太廟寢殿後別建藏祧之所如古夾
室之制每歲暮則奉祧主合享應古祫祭之制又
有言
孝穆太后當祔廟者下廷議岳言周姜嫄爲帝嚳次

妃后稷之妣周禮有享先妣樂舞盖指姜嫄而魯
頌閟宮之詩特見其名此别廟之證且唐宋以來
皆有故事可考如 奉先殿儀奏
許可時釐正京師諸淫祠易刮諸冗費議皆出
上
岳手耿方正持大體禮文事多屬岳稱善不啻已
出禮科右給事中張九功少詹事程敏政又欲改
定孔庭從祀諸賢及七十二子岳言馬融王弼之
徒其立身不無貶議然秦漢以來六經出于煨燼
賴諸儒抱遺經專門講授經得復存自唐之註疏

咸祖其言而今之經傳引用尚多其說何可盡廢
况七十二子名字自司馬遷以來相沿已久今生
千百年後安敢臆定進左侍郎會灾異求言與尚
書共疏寅畏天戒七事未幾復陳八事守嶺南內
臣韋春誘撒馬兒罕貢獅子開海道力言南海非
西域貢道禁不許通斥還貢物六年代裕爲尚書
內臣韋泰傳
旨召國師領占竹于四川抗言領占竹僭號法王淫
昏矯僞

上初登大寶首納諫言削奪斥遣傳聞四方共稱
聖德今復召還殊駭羣聽馬文升言成化間累度僧
道非便下禮部議岳言成化二年度十三萬二千
有奇十二年一萬三千有奇二十二年二十二萬
四千有奇十年一度國版日耗異端日繁愚耗民
財坐侵民食宜立嚴科痛加條革如文升議便九
年改南京吏部尚書加太子少保未幾改南京兵
部參贊機務秉正達變不激不隨百廢傾舉十一
年清寧宮災條上修省勤聖學開言路止齋醮省

供應節親藩懲欺蔽䘏困窮核名實疏淹滯擇將領節差遣慎功賞停工役斥奸貪進忠直恤刑獄等二十八事十三年召入吏部爲尚書釐正品類獎恬抑躁不恤恩怨正色昌言干謁消沮或勸毋别白賢不肖太過且召怨輙撓沮不得盡行其志岳曰冢宰職固如是才學識量優於經濟狀貌魁梧又足稱其志於諸卿中推遜文升至論 國事亦不肯相徇先是弘治六年文升言五嶽之名宜從京師我 朝北嶽乃在京南乞改北嶽下禮官

議岳言北嶽恒山祀曲陽歷漢至今二千餘年不
可輒改
上從禮官議昔金世宗時議者以都燕請別議五嶽
太常卿范拱言軒轅居上谷在恒山之西虞舜居
蒲坂在華山之北未嘗據都改嶽岳議良是文升
又嘗言今天下財力大耗計無所出獨蘇松折糧
錢價金宜稍增以足　國用下廷議岳曰東南民
力已竭又復重之且生變詎任其咎事得止十四
年卒贈少保謚文毅　國朝父子爲學士翰林得

並謚文自岳父子始文集並傳自王忠文後再見
云奏議多不録録其論西北備邊事狀略云論事
者貴審理勢酌古今凡肆夸大恥雷同皆非爲
國忠謀者也近歲虜酋毛里孩阿羅出孛羅忽亂
加思蘭大爲邊患盖緣河套之中水草甘肥易於
屯劄腹裏之地道路曠遠難於守禦是以轄於榆
林者若孤山安塞安邊定邊諸路轄於寧夏者若
花馬池興武高橋萌城諸路皆其入寇之所迤東
則延安綏德鄜州諸路迤西則環慶平凉固原諸

路皆其驗掠之處擁衆長驅遠者逾千里近者不下數十百里沿邊諸將或嬰城自守或擁兵自衛輕佻者挫衂怯懦者退避既不能折其前鋒又不能邀其歸路虜遂源源而來洋洋而去進獲重利退無後憂取於我者衣食自恣屢起盜心處於彼者窟穴既安遂無去志虜勢不戢邊患不寧上厪廟慮遣將徂征柰何四年三舉一無寸功或高卧而歸或安行以返乃折士僭爵優游朝行華帛輿金充牣私室且其軍旅一動輒報捷音賜予濫施

官爵輕授殺傷我士卒悉泯弗聞掇拾彼器械虜張勝勢甚至濫殺被虜平民妄稱逆虜首級未嘗致其敗非輒以奔遁爲言未嘗有所斬獲輒以鈎搭爲解考其功籍所載賞格所加者非私家之子弟即權門之厮養而骨委戰塵血膏野草者非什伍之卒即轉餉之民天怒人怨禍機日深非細故也况夫京營之兵素爲冗怯臨陣退縮反隳邊兵之功望敵奔潰久爲虜人所侮此宜留鎮京師以壯根本顧乃輕於出禦以褻天威且延緩邊也去

京師遠宣府大同亦邊也去京師近彼有門庭之喻此無陛楯之嚴可乎頃兵部建議遂於宣府出兵五千大同出兵一萬幷力以援延綏而不計其相去既遠往返不逮人心厭於轉移馬力罷於奔軼況聲東擊西虜人奸態擣虛批吭兵家輿策精鋭既盡而西老弱乃留於北萬一此或有警彼未可離首尾受敵遠近坐困謂爲得計乎臣又聞軍旅之用糧食爲先今延綏之地兵馬屯聚芻粟之費日賴資給乃以山西河南之民任飛芻輓粟之

役仰關而西徙卒千里夫運而妻供父輓而子荷道路愁怨井落空虛幸而至也束芻百錢斗米倍值不幸遇賊身已虜矣他尚何計輸將不足則有輕齎輕齎不足又有預徵嗚呼水旱不可先知豐歉未能逆卜如之何其可預徵也至甚不得已則令民輸芻粟以補官然媢權貴私親故者或出空牒而授之而倉庾無升合之入又令民輸芻粟而給鹽然恃豪右專請託者率占虛名而鬻之而商賈費倍蓰之利官級日濫鹽法日沮而邊儲不充

如故也又朝廷出帑藏以給邊者歲爲銀數十萬山西河南之民輸輕賫於邊者歲亦不下數十萬銀日積而多則銀益賤粟日散而少則粟益貴而不知者遂於養兵之中寓其養伹之志或以茶鹽或以銀布名爲准折粮價實則侵尅軍儲故朝廷有糜廩之費士卒無飽食之日至於兵馬所經例須應付平居之時一日之數人米一升馬草一束追逐所過一日之間或一二堡或三四城豈能俱給執而典守者陰懐竊取之計巧爲影射之謀凡

在經歷之方悉開支給之數背公營私罔上病下莫此爲甚由是觀之賊勢張而無彌之之道兵力敝而無養之之實徒委西顧之憂於

陛下誰果分憂盡心効力乎採之建白察之論議則又往往紛紜據指掌之圖肆胸臆之見者率謂復受降之故險守東勝之舊城則東西之聲援可通彼此之犄角易制是非不善也第二城之廢棄既久地形之險易未知況欲復城河北以爲之守必須屯兵塞外以爲之助出孤遠之軍涉荒漠之地

輜重爲累饋餉爲艱彼或佯爲遁逃潛肆邀伏或抄掠於前躡襲於後曠日持久路行野宿人心驚駭軍食乏絶進不得城退不得歸一敗塗地聲威大損其有懷敵愾之心馳伊吾之志者率謂統十萬之衆裹半月之粮奮揚威武掃蕩腥膻使河套一空邊陲永靖是亦非不善也然帝王之兵以全取勝孫吳之法以逸待勞今欲鼓勇前行窮搜遠擊乘危履險僥倖萬一運粮遠隨則重不及事提兵深入則孤不可援況其間地方千里綿亘無際

既無城郭之居亦無委積之守彼或往來遷徙靡
找馳驅或掩襲衝突撓我困倦虜首安望於成擒
中國復至於大創失坐勝之機蹈覆沒之轍必矣
至有欲圖大舉以建奇功者謂必剪建州之衆除
朶顔之徒乘勝而遂平河套夫祖宗之於建州朶
顔諸衛不過羈縻保塞以固吾圉今若是將使戎
狄生心藩籬頓壞遺孽難盡邊釁益多是果何知
誠爲無策甚者至謂昔以東勝不可守既已棄東
勝今之延綏不易守不若棄延綏則兵民可以息

宥關陝得以安枕夫一民尺土皆受之於天於
祖宗不可忽也向失東勝故今日之害萃於延綏而
關陝騷動今棄延綏則他日之害鍾於關陝而京
師震驚賊愈近而莫支禍愈大而難救此實寡謀
故爾大謀嗚呼一倡百和牢不可移甲是乙非卒
莫能合成功既鮮高談奚取焉臣所尤不滿者徒
以書生典兵謂詢謀爲無益棄人言而不顧謂專
斷爲無傷執己意而不知變置乖方指揮失義若
向之圖復西戎既爲苟且之舉已損威而失信近

之議制南夷復倡毀備之說以啓釁而示怯蓮庭
中制外之權昧以大字小之體推是以往其他可
知徒使下弛兵機上㦖　國紀又皆此輩舞文之
過重貽後時噬臍之悔者也故以臣論之不若即
古人已用而有成及今日可行而未盡者舉而措
之其爲力也少其致功也多曰重將權以一統制
而責成功曰增城堡廣斥堠以保衆而疑賊曰募
民壯去客兵以彌患而省費曰明賞罰嚴間諜以
攻兵紀而覘賊情曰實屯田復漕運以足兵食而

紓民力其論邊漕略曰今關陝所需皆山西河南所給而三方之地俱近海其間雖有三門析津龍門之險然昔漢唐粮餉由此而通即今鹽船木筏往來無滯且以今戶部所計山西米豆必令運貯榆林及保德州縣諸倉河南米豆必令運貯潼關衛陝州諸倉其諸州衛地皆瀕河可通舟楫踵往古故跡而行免當今陸運之害公私之利奚啻萬萬也況今河道當潼關之非數十里接連渭河可通陝西及鳳翔鞏昌渭河西流數十里接連洛河

可通延安及北上源可通邉堡渭河西流三百餘里接連涇河可通慶陽又龍門之上舊有小河徑通延綏倘加修濬必可行舟此宜簡命水部之臣示以必行之意相度地形按求古跡某處避險可以陸運某處可立倉以備倒運某處可造船以備裝運淤塞悉加導滌漕河務在疏通毋憚一時之勞而失永久之利如是則不但三方之困可紓雖四方之物無不可致矣

徐完字用美江寧人成化丙戌進士拜監察御史

時抗論臺臣有聲擢江西按察僉事即休致家居雅素論議猶侃侃賓友過從雖劇飲未嘗狎也

丁鏞字鳳儀上元人成化己丑進士任南京刑部主事至郎中出守興化嘗斷疑獄人以為神未久致仕性嗜文學耽詩尤愛佳山水多宿山寺蓋清逸之士也

吳文度字憲之江寧人少與兄文威茹苦力學登成化壬辰進士任龍泉知縣拜御史出守汀州轉參政布政至副都御史進南京右都御史以南京

户部尚書致仕居第不增畝不治產曰吾親起儒官貧素今亦足矣待諸姪無異已出與故舊處猶布衣居官常求情于法中

張琮字廷憲江寧人文僖公之從孫弘治庚戌進士爲禮部儀制郎中晉藩有奪王封者時劉瑾受賂琮執不可瑾曰一郎中力能勝尚書耶出爲陜西參議奪者即如請後謫琮爲濟寧知州改監察御史巡按甘肅時安化餘亂未息琮恤無辜而治有罪邊堠以安瑾誅擢按察副使累官至南京都

察院右都御史門可設雀羅乞致仕歲繼夫廪卒

賜塋祭

邵清字士廉江寧人清幼有至性母卒時纔三歲置於別室清號泣欲往視聞者異之長端潔好學弘治壬子舉於鄉授江西德化教諭教諸生必以孝弟節義爲言束修問饋之儀無敢及門者乙卯秋山東巡按聘典試事志在甄拔才俊高下咸自主斷巡按者素重清名不易也事竣即就道有謁贊者拒不受藩臬交章薦之考上上選授監察御

史教職擢臺臣自清始也委督抽分其豪猾射利
隱沒者皆置於法正德初
皇親張延齡恃恩奏人負券若干緡有
旨與追清曰御史朝廷耳目之官可爲人索私債耶
其持正不避權要若此奉
敕理塩法兼管河道俱有勞績逆瑾始擅政索清賄
不入矯旨遣官校捕至榜數十罷歸家居閉門灌
畦圃瑾怒猶未釋仍罰米三百石交親爲代償乃
得足瑾伏誅廷臣追訟其寃嘉靖壬午復御史陞

雲南按察僉事己丑改廣西左江兵備所居皆膏
腴不以一毫自潤行橐蕭然辛卯賫進
表文事竣曰可以已矣乞休疏兩上得允乃杜門謝
賓客宗伯霍韜雅重清以所毀淫祠田餽清清不
受及疾作語其子曰為己謹獨甚難又曰兢兢業
業過此生務要保全無過至瞑目心始落耳數日
而卒
李熙字師文上元人弘治丙辰進士任將樂知縣
拜南京監察御史事多執法鄉里有不悅者熙曰

朝廷與鄉里執重耶逆瑾擅政以言事械繫下廠
被重刑落職歸又以劾二府貪吏瑾復行南京廷
杖三十幾死南京禁衛久不刑爲熈選卒胥杖數
日熈在府獄人爲之憂恐熈作外舅壽頌數百言
人見之歎服不已嘉靖初　詔起爲饒州知府轉
浙江按察副使卒于官
顧璘字華玉上元人進士廣平知縣南京吏部驗
封司主事稽勳郎中開封知府謫全州知州起知
台州府浙江布政司左參政嘉靖改元陞山西按

察使病免起江西按察使陞浙江右布政使轉左
壬辰右副都御史巡撫湖廣陞刑部右侍郎尋改
吏部會　顯陵肇工改工部左領山陵事進尚書
改南京刑部璘軀朗潤達精於吏理能激昂任事
其爲開封鎮守中官廖堂乃逆瑾黨子奪自恣璘
摧抑捍蔽毋折其萌芽不令得肆瑾誅廖罷去而
錢寧用事王宏者佐誶讒慓疾繼廖出鎮氣燄讋
人一時有司或屈節自容璘故不爲禮有所徵需
一不答積忤宏矯　詔逮錦衣獄吏問狀璘據理

執訖抗言條對寍無已遣邏卒陰探郡中無所得
乃文致他比以竟其獄獄成徙知全州及起撫湖
南益事振植湖湘遐曠提封數千里撫臣尊重受
計坐理而已璘輶車省循徧歷州郡雖徧疆下鄙
莫不臨蒞跋涉險阻不少厭却故事巡歷所在必
以藩臬守臣自隨璘悉謝遣軒車簡易儀從飲約
供頓次舍才足周用民按堵不知為勞所至勸農
振業平繇復稅而摘伏省徵軌迹夷易民用安集
在鎮逾年多所建白首言地瘠民貧兵食不足而

藩府賦祿無隄後繼爲難又以湖湘控扼邊徼地
大事緐御史按部歲一更代勢不得周欲乞添差
御史分莅湖南北以廣詢謀所言凡數十事皆當
時利病深切治理而論者韙其言云　顯陵之作
經費不貲璘既長扵料簡而程省費懈調發有制
視他所營率損費十五而功實倍之璘爲文不事
險刻而鑄詞發藻必古人爲師詩矩矱唐人而劖
芟陳爛時出奇峭樂府歌詞不失漢魏風格云
景暘字伯時上元人年數歲隨其父官廣州劉大

夏見其文異之曰此子方爲國器正德戊辰舉進
士第二人除翰林編修時逆瑾亂政挾勢陵轢朝
士見者重跡屏氣賜獨弗阿每當進講必越宿齋
沐覲有感悟在館職九年遷國子司業以資當晉
侍讀梁儲曰成均士子師範非君不可賜曰朝廷
官人敢自擇耶六館諸生人人以爲得師二年改
左中允管南京國子司業事南方士習競便利有
請囑者一切謝絕士習稍正辛巳以母憂去位甲
申起復方就道染疾旬餘而卒賜清介過甚居官

如布衣時坦夷溫直望之知其爲有養者性篤于義有姊早寡奉與毋居爲嫁娶其子女使得所友人張貢見暘女欲與婚未聘也貢尋卒暘哭曰曩吾心巳許之忍負亡友乎召其子妻之鄉人莫不多其事卒時方四十九識者共惋惜之

王以旂字士招江寧人登正德辛未進士授江西上高知縣時華林賊方熾數剽掠縣境而流賊復往來江上上高爲賊衝以旂乃團結鄉兵諸要害處遍置鐵蒺藜又聲言欲擣巢穴賊偵知不敢犯

入爲監察御史巡按河南會宸濠叛鎮守閹人劉
璟者與通謀云
毅皇帝親征道出汴取藏銀四萬兩備供應諸司莫
可誰何以旂徐譬曉之曰
大駕所經供應誠不可緩俟
敕至圖之未晚萬一從他道銀散其責安在璟不敢
言後逮捕璟籍其家僉服其見
肅皇帝時巡按福建賊刧安溪永春延及尤溪以旂
度且犯福寧檄兵備禦賊謀大沮以親老乞養家

居且十餘年父卒服闋起提督北畿學校歷官光
禄卿陞右副都御史撫治鄖陽晉兵部右侍郎是
歳徐吕洪渴漕舟滯不行遣以旂督治至則先求
故道視泉脉循經流塞分殺自徐洪南抵沽頭增
置閘又相地形引水塹築土壩河流時瀦漕舸皆
如期達京師汶上寧陽之間有水櫃四勢豪浸沒
獻　德邸籍灌溉爲私利以旂上言水櫃以備畜
洩河溢則懸河以入湖河涸則懸湖以入河遂任
悉力復水櫃至今賴焉事竣加俸一級擢右都御

史掌南臺自以風憲重臣居梓里兢兢奉法不敢縱舊宅在聚寶門外聚寶市人填溢每歲時歸祀必由他道謂諸子曰昔張湛入里門必步此可取爲法也秩滿　召入爲工部尚書尋轉兵部先是陜西總督侍郎曾銑議復河套奉

命集議以旂謂套誠當復第區處當預定乃條十餘事以上會嚴嵩惡銑有

旨逮獄即命以旂代之以旂聞

命倉卒即就道軍中務爲鎮靜明部伍遠斥堠日休

沐士卒而撫循之軍中皆願一戰不許甘肅關廂
有哈密熟蕃留住種類日繁以旂恐爲中國患謀
徙之關外乃繕室廬計口授田俾爲生計諸蕃聽
命戊申虜犯山丹己酉犯波羅堡及莊浪已又犯
高家堡及鎮羌皆督師逐敗在鎮六年開誠布信
虜無深入癸丑春疾作
許致仕卒于固原鎮邊民號泣罷市
賜塟祭　謚襄敏
顧璘字英玉璘從弟也警悟好學弱冠聲名翕然

舉正德甲戌進士累官南京兵部武選郎中故舊一切謝絕會有旨査冗貟請囑不行明年謫知許州許冠帶邑多豪猾璵治頗尚惠文而時時有所縱舍察廉陞温州府同知再陞山東按察僉事轉河南副使風裁益峻與部使者論事有不可輒封還移文同官駭愕璵曰

朝廷置外臺爲耳目枉法媚人吾不爲竟以是罷歸璵高自負許耻諧于俗居官常俸外秋毫無取比

歸家益窘所久不繼處之晏如也嘗曰貪賄請囑與武斷鄉曲雖略有差等皆非知耻畏義者所恐
爲

應天府志卷二十七

人物傳二

吳張昭字子布彭城人好學善隸書察孝廉不就刺史陶謙舉茂才又不應漢末避亂渡江孫策命爲長史文武之事一以委昭昭每得北方士大夫書疏專歸美昭策聞之歡笑曰昔管仲相齊一則仲父二則仲父而桓公爲霸者宗今子布賢我能用之其功名獨不在我乎策臨亡以弟權託昭昭率群僚立而輔之吳主權每田獵常乘馬射虎昭前

曰夫爲人君者謂能駕御英雄驅使群賢豈徒馳
逐於原野校勇於猛獸者乎權謝之操嘗與權書
欲外擊劉備内取子布共見憚如此魏使者邢貞
拜權爲吳王入門不下車昭謂貞曰夫禮無不敬
法無不行而君敢自尊大豈以江南寡弱無方寸
之刃乎貞遽下車吳王於武昌臨釣臺飲酒大醉
使人以水灑群臣曰今日惟醉墮臺中乃當止耳
昭正色而出吳主使人呼昭還謂曰爲公作樂耳
公何爲怒乎昭對曰昔紂爲糟丘酒池長夜之飲

當時亦以為樂不以為惡也吳主默然有慙色遂罷酒初當置丞相衆議歸昭吳主曰孤豈為子布有愛乎領丞相事煩而此公性剛所言不從怨咎將興非所以益之也吳主既稱尊號昭以老病上還官位及所統領更拜輔吳將軍班亞三司改封婁侯食邑萬户在里宅無事乃著春秋左氏傳解及論語注後公孫淵稱藩吳主欲遣使昭與相反覆吳主不能堪案刀而怒曰吳國士人入宮則拜孤出宮則拜君孤之敬君亦為至矣而數於衆中

折孤孤嘗恐失計昭熟視曰臣雖知言不用每竭愚忠者誠以太后臨崩呼老臣於牀下遺詔顧命之言故在耳因涕泣橫流吳主擲刀致地與昭對泣然卒遣張彌許晏往昭忿言之不用稱疾不朝吳主恨之土塞其門昭又於內以土封之淵果殺彌晏吳主數慰謝昭昭固不起因出過其門呼昭昭辭疾篤吳主燒其門欲以恐之昭更閉戶權使人滅火住門良久昭諸子共扶昭起乃載以還宮深自克責昭不得已然後朝會昭容貌矜嚴有威

風吳主常曰孤與張公言不敢妄也舉邦憚之年
八十一卒遺令幅巾素棺斂以時服
諸葛瑾字子瑜琅琊陽都人漢末避亂江東曲阿
弘咨見而異之薦於孫權權賓待之後爲長史轉
中司馬權遣瑾使漢通好與其弟亮俱公會退無
私面與權談說諫喻未嘗切愕微見風彩粗陳指
歸如有未合則舍而及他徐復託事造端以物類
相求於是權意往往而釋嘗曰顏氏之德使人加
親豈謂此耶從襲關羽封宣城侯以綏南將軍代

呂蒙領南郡太守漢昭烈東伐吳吳王求和時或言瑾別遣親人與昭烈相聞權曰孤與子瑜有死生不易之誓子瑜之不負孤猶孤之不負子瑜也後遷左將軍督公安假節封宛陵侯虞翻以狂直流徙瑾屢爲之說翻與所親書曰諸葛敦仁則天活物比蒙清論有以保分惡積罪深見忌殷重雖有祁老之救德無羊舌解釋難冀也瑾爲人有容貌思度于時服其弘雅權亦重之子恪才俊有盛名瑾每嘆非保家之子卒遺命素棺以時服歛

是儀字子羽北海營陵人本姓氏初爲縣吏後仕郡郡相孔融嘲儀言氏字民無上乃改爲是後依劉繇避亂江東繇軍敗儀徙會稽吳主權優文徵儀專典機密拜騎都尉呂蒙圖襲關羽吳主以問儀儀善其計拜忠義校尉儀陳謝吳主令曰孫雖非趙簡子卿安得不自屈爲周舍耶既定荊州都武昌拜裨將軍後封都亭侯守侍中欲復授兵儀固辭黃武中遣儀之皖就將軍劉卲欲誘致曹休休至大破之遷偏將軍入闕省尚書事外總平諸

官無領辭訟又令教諸公子書學吳主遷都秣陵太子登留鎮武昌使儀輔太子太子敬之事先諮詢然後行進封都鄉侯後從太子還建業復拜侍中中執法平諸官事領辭訟如舊典校郎呂壹誣白故江夏太守刁嘉謗訕國政吳主怒收嘉繫獄悉驗問時同坐人皆怖畏壹並言聞之儀獨云無聞窮詰累日詔旨轉厲群臣屏息儀據實答問辭不傾移吳主遂舍之嘉亦得免漢相諸葛亮卒吳主悉心西州遣儀使漢稱意後拜尚書僕射南魯

二宮初立儀以本職領魯王傅儀嫌二宮相切近乃上疏言二宮宜有降殺正上下之序明教化之本書三四上爲傅盡忠勤輒規諫事上勤與人恭不治產業不受施惠爲屋舍財足自容服不精細食不重膳拯贍貧困家無儲畜吳主聞之幸儀舍求視蔬飯親嘗之對之歎息即增俸賜益田宅儀累辭讓以恩爲戚時時有所進達未嘗言人之短事國數十年未嘗有過呂壹歷白將相大臣或一人以罪聞者數四獨無以白儀吳主歎曰使人盡

如是儀當安用科法爲

賀循字彥先會稽山陰人徵辟皆不就元帝遷鎮東大將軍引以爲軍司敦逼不得已乃轝疾至建業元帝親幸其舟側諮以政道循羸疾不堪拜謁乃就加朝服賜第一區車馬床帳衣褥等物循一無所受時江東草創盜賊多發元帝思所以防之以問於循循勸明部分設亭徼及愍帝即位又表爲侍中道險不行以討華軼功封鄉侯循自以卧疾私門不受建武初爲中書令加散騎常侍又以

老疾固辭元帝下令曰循言行以禮乃時之望俗之表也實賴其謀猷以康萬機疾患有素猶望卧相規輔而固守撝謙自陳懇至此賢履信思順非苟以讓爲髙者也今從其所執於是改拜太常常侍如故循以九卿舊不加官又疾不宜兼職惟拜太常而已時朝廷新建凡有疑滯皆諮之於循循輙依經禮以對爲當世儒宗其後以循清貧下令曰循水清玉潔行爲俗表位處上卿而居身服物蓋周形而已屋室才庇風雨孤近造其廬以爲慨

然其賜六尺牀薦席褥幷錢二十萬以表至德暢
孫意焉循又讓不許不得已留之初不服用及踐
位以循行太子太傅太常如故累表固讓元帝以
循體德率物有不言之益敦勵備至期於不許命
皇太子親往拜焉循有羸疾而恭於接對詔斷賓
客其崇遇如此疾漸篤元帝親臨執手流涕太子
問疾者三往還皆拜儒者以爲榮循少玩篇籍善
屬文博覽衆書尤精禮傳雅有知人之鑒拔同郡
楊方於卑陋卒成名於世

王導字茂弘臨沂人光禄大夫覽之孫也少有風鑒識量清遠陳留高士張公見而竒之曰此兒容貌志氣將來之器也元帝爲瑯琊王與導素相親善導知天下已亂遂傾心推奉潛有興復之志元帝亦雅相器重會元帝出鎮下邳請導爲安東司馬軍謀密策知無不爲及徙鎮建康居月餘人士莫有至者從兄敦來朝導謂之曰瑯琊王仁德雖厚而名論猶輕兄威風已振宜有以匡濟者會三月上巳元帝親觀禊乘肩轝具威儀敦導及諸名

勝皆騎從紀瞻賀循顧榮竊覘之咸驚懼乃相率
拜於道左導勸引之以結人心乃使導躬造循榮
二人皆應命而至由是吳會風靡百姓歸心焉導
勸收其賢俊與之圖事時荆揚晏安户口殷實導
爲政務在清靜每勸元帝克己勵節匡主寧邦於
是尤見委仗號爲仲父嘗從容謂導曰卿吾之蕭
何也永嘉末遷丹陽太守晉國既建以導爲丞相
軍諮祭酒桓彝初過江見朝廷微弱謂周顗曰我
以中州多故來此欲求全活寡弱如此將何以濟

往見導極談世事還謂顗曰向見管夷吾無復憂
矣過江人士每至暇日相要出新亭飲宴顗中坐
而嘆曰風景不殊舉目有江山之異皆相視流涕
惟導愀然變色曰當共戮力王室尅復神州何至
作楚囚相對泣邪衆收淚而謝之俄拜右將軍揚
州刺史監江南諸軍事遷驃騎將時軍旅方殷學
校廢缺導勸立學以端風化元帝納之及登尊號
引導升御牀共坐導固辭至于三四曰若太陽下
同萬物蒼生何由仰照乃止及劉隗用事導漸見

踈遠任真推分澹如也有識咸稱導善處興廢焉敦之反也隗請悉誅王氏導率群從昆弟子姪二十餘人每旦詣臺待罪元帝以導忠節有素特還朝服召見之導稽首拜曰逆臣賊子何世無之豈意今者近出臣族元帝跣而執之曰茂弘方託百里之命於卿是何言邪乃詔曰導以大義滅親可以吾爲安東時節假之及敦得志加導守尚書令初西都覆沒海内思主群臣及四方並勸進時王氏彊盛有專天下之心敦憚元帝賢明欲更議所

立導固爭乃止及此役也敦謂導曰不從吾言幾
致覆族導猶執正議敦無能奪明帝即位導受遺
詔輔政解揚州遷司徒敦又舉兵内向時寢疾導
便率子弟發哀衆聞謂敦死咸有奮志敦平進封
始興郡公明帝崩復與庾亮等同受遺詔共輔幼
主是爲成帝加羽葆鼓吹班劍二十人及石勒侵
阜陵詔加導大司馬假黄鉞出討之軍次江寧成
帝親餞于郊俄而賊退解大司馬庾亮將徵蘇峻
訪之於導導曰峻猜險必不奉詔且山藪藏疾宜

包容之固爭不從亮遂召峻既而難作六軍敗績導入宫侍衛峻以導德望不敢加害猶使以本官居己之右峻又逼乘輿幸石頭導謀奉成帝出奔義軍不果事平朝議遷都導曰建康古之金陵舊爲帝里又孫仲謀劉玄德俱言王者之宅古之帝王不以豐儉移都苟弘衛文大帛之冠則無往不可若不績其麻則樂土爲墟矣宜鎮之以静群情自安導善扵因事就功雖無日益而歲計有餘時帑藏空竭庫中惟有練數千端導乃與朝賢俱制

練布单衣於是士人翕然競服之練遂踊貴端至一金時大旱導上疏遜位詔累逼之然後視事導簡素寡欲倉無儲穀衣不重帛帝知之給布萬疋以供私費成帝嘗幸其府縱酒作樂其見敬如此時庾亮以望重地逼出鎮於外或稱亮當舉兵內向勸導密爲之防導曰吾與元規休戚是同悠悠之談宜絶智者之口則如君言吾便角巾還第復何憂也咸和五年卒時年六十四成帝舉哀於朝堂喪事賵禭之禮一依漢博陸侯及安平獻王故

事自導渡江子孫遂家建業衣冠人物一時爲盛導諸子皆知名洽別有傳

諸葛恢字道明瑯琊陽都人祖誕魏司空以起義被殺父靚奔吳爲大司馬吳平逃竄不出恢弱冠知名試守即丘長轉臨沂令爲政和平值天下大亂避地江左名亞王導庾亮導嘗謂曰明府當爲黑頭翁及導拜司空恢在坐導指冠謂曰君當復著此導嘗與恢戲爭族姓曰人言王葛不言葛王也恢曰不言馬驢而言驢馬豈驢勝馬邪其見親

狎如此于時潁川荀闓字道明陳留蔡謨字道明與恢俱有名譽號曰中興三明人爲之語曰京都三明各有名蔡氏儒雅荀葛清元帝爲安東將軍以恢爲主簿再遷江寧令討周馥有功封博陵亭侯復爲鎮東參軍與卞壼並以時譽遷從事中郎兼統記室時四方多務牋䟽殷積恢斟酌酬答咸稱折中于時王氏爲將軍而恢兄弟及顗含並居顯要劉超以忠謹掌書命時人以帝善任一國之才愍帝即位徵用四方賢儁召恢爲尚書郎元帝

以經緯須才上疏留之承制調爲會稽太守臨行
帝爲置酒謂曰今之會稽昔之關中足食足兵在
於良守以君有莅任之方是以相屈四方分崩當
匡振圯運政之所先君爲言之恢陳謝因對曰今
天下喪亂風俗陵遲宜尊五美屏四惡進忠實退
浮華帝深納焉太興初以政績第一詔增秩中二
千石頃之以母憂去官服闋拜中書令王敦上恢
爲丹陽尹以久疾免明帝征敦以恢爲侍中加奉
車都尉討王含有功進封建安伯

王嶠字開山太原晉陽人司徒渾之族永嘉末携二弟避亂渡江時元帝鎮建鄴教曰王祜三息始至名德之冑並有操行宜蒙飾叙遷太子中舍人以疾不拜王敦請爲叅軍爵九原縣公敦在石頭欲禁私伐蔡洲荻嶠曰中原有菽庶人採之百姓不足君孰與足若禁人樵伐未知其可敦不悦敦将殺周顗戴淵嶠扵坐諫曰濟濟多士文王以寧安可戮諸名士以自全生敦大怒欲斬嶠賴謝鯤以免敦猶銜之出爲領軍長史敦平後除中書侍

即咸和初朝議欲以嶠爲丹陽尹嶠以京尹望重不宜以疾苦之求補廬陵郡乃拜嶠廬陵太守卒謚穆

顔含字弘都瑯琊莘人少有操行以孝友聞兄畿咸寧中得疾就醫自療遂死於醫家家人迎喪旐繞樹不可解引喪者顛仆稱畿言曰我未應死但服藥所悞父祝之歸家旐乃解及還其婦夢之曰吾當復生可急開棺母及家又夢之即欲開棺而父不聽含時尚少乃慨然曰非常之事古則有之

今靈異至此開棺之痛孰與不開相召父母從之
乃共發棺果有生驗但奄然餘息將視累月猶不
能語闔家營視頓廢生業母妻皆有倦意含乃謝
絕人事躬親侍養足不出户者十有三年石崇重
含悖行贈以甘旨含謝而不受或問其故荅曰病
者綿昧生理未全既不能進噉又未識人惠若當
謬留豈施者之意也幾竟不起含二親既終兩兄
繼沒次嫂樊氏因疾失明含課勵家人盡心奉養
每日自嘗省藥饌察問息耗必簪屨束帶醫人跡

方應須髯蚺膽而尋求備至無由得之含憂歎累
時嘗晝獨坐忽有一青衣童子年可十三四持一
青囊授含含開視乃蚺膽也童子逡巡出户化成
青鳥飛去得膽藥成嫂病即愈由是著名本州辟
不就東海王越以爲太傅參軍出補闔陽令元帝
初鎮下邳復命爲參軍過江以含爲上虞令轉東
宮舍人以儒素篤行補太子中庶子遷黄門侍郎領
討蘇峻功封西平縣侯除吳郡太守王導問含曰
卿今涖名郡政將何先含曰王師歲動編户虛耗

南北權豪競招游食國弊家豐執事之憂且當徵之勢門使反田桑數年之間欲令户給人足如其禮樂俟之明宰含所歷簡而有恩明而能斷然以威御下導歎曰顏公在事吳人歛手矣未之官復爲侍中尋除國子祭酒遷光禄勲以年老遜位成帝美其素行就加右光禄大夫賜牀帳被褥勅太官四時致膳固辭不受于時論者以王導帝之師傅名位隆重百僚宜爲降禮太常馮懷以問於含含曰王公雖重理無偏敬降禮之言或是諸君事

宜鄗人老矣不識時務既而告人曰吾聞伐國不問仁人向馮祖思問佞於我我有邪德乎人嘗論少正卯盜跖其惡孰深或曰正卯雖姦不至剖人充膳盜跖爲甚含曰爲惡彰露人思加戮隱伏之姦非聖不誅由此言之少正爲甚衆咸服焉郭璞嘗遇含欲爲之筮含曰年在天位在人修己而天不與者命也守道而人不知者性也自有性命無勞著龜桓温求婚於含含以其盛滿不許惟與鄧攸深交或問江左群士優劣荅曰周伯仁之正鄧

伯道之清下望之之節餘則吾不知也其雅重行實抑絶浮僞如此致仕二十餘年年九十三卒自名渡江九世皆塟建康曾孫延之有名于宋延之子竣別有傳

王洽字敬和導中子少與荀羨俱有美稱蒻冠歷散騎中書郎吳郡内史徵拜領軍尋加中書令固讓表䟽十上穆帝詔曰敬和清裁貴令昔爲中書郎吾時尚小數呼見意甚親之今所以用爲令既機任須才且欲時時相見共講文章待以友臣之

義而累表固讓甚違本懷其催洽令拜苦讓遂不受

王彪之字叔武丞相導之姪初除佐著作郎東海王文學屢遷吏部尚書簡文執政用秣陵令曲安遠補句容令殿中侍御史奚朗補湘東郡二人俱以卜術進彪之執議不從桓溫欲北伐詔不許溫輒下武昌人情震懼或勸殷浩引身告退彪之言扵簡文曰此非保社稷為殿下計皆自為計耳若殷浩去職人情崩駭天子獨坐既爾當有任其責

者非殿下而誰又謂浩曰彼抗表開罪卿爲其首
事任如此猜釁已搆欲作匹夫豈有全地耶且當
靜以待之令相王與手書示以欵誠陳以成敗當
必旋旆若不順命即遣中詔如復不奉乃當以正
義相裁無故怱怱先自猖獗浩曰決大事正自難
頃日來欲使人悶聞卿此謀意始得了温亦奉旨
果不進時衆官漸多而遷徙每速彪之上議以得
賢之道在於蒞任蒞任之道在於能久是以三載
考績三考黜陟不收一切之功不採速成之譽今

才寡於世而官多於朝官衆則闕多闕多則遷速
前後去來更相代補所以職事未修朝風未澄者
也職事之修在於省官朝風之澄在於并職官省
則選清而得久職幷則吏簡而俗靜選清則任人
久於其事事久則中才猶足有成可使庶官之選
差清流職之日差久無奉祿之虛費簡吏寺之煩
役矣長安人雷蒻兒梁安等詐云殺符堅以降請
兵應接時殷浩鎮壽陽便進據洛營復山陵屬彪
之疾歸與簡文牋陳蒻兒等容有詐僞浩未應輕

進已而翦兒果詐姚襄反叛浩大敗退守譙城簡
文笑謂彪之曰果如君言自頃以來君謀無遺策
張陳復何以過之轉領軍將軍遷尚書僕射以病
不拜徙太常後爲鎮軍將軍會稽内史加散騎常
侍居郡八年豪右斂跡亡户歸者三萬餘口桓温
下鎮姑孰威勢震主四方修敬皆遣上佐綱紀彪
之獨曰大司馬誠爲富貴朝廷既有宰相動靜之
宜自當諮稟修敬若遣綱紀致貢天子復何以過
之竟不遣温以山陰縣折布米不時畢郡不彈糾

上免彪之彪之臨去郡凡罪謫未上州臺者皆原
散之温復以爲罪乃檻收下吏會赦免左降爲尚
書頃之復爲僕射是時温將廢海西公百寮震慄
温亦色動莫知所爲彪之既知温不臣迹已著理
不可奪乃謂温曰公阿衡皇家便當倚傍先代耳
命取霍光傳禮度儀制定於須臾曾無懼容温嘆
曰作元凱不當如是耶時廢立之儀既絕於曠代
朝廷莫有識其故典者彪之神彩毅然朝服當階
文武儀準莫不取定朝廷以此服之簡文崩群臣

疑惑未敢立嗣或云宜當須大司馬處分彪之正
色曰君崩太子代立大司馬何容得異若先稟諮
必反爲所責矣於是朝議乃定及孝武帝即位太
皇太后令以帝冲幼加在諒闇令溫依周公居攝
故事事已施行彪之曰此異常大事大司馬必當
固讓使萬機停滯稽廢山陵未敢奉令謹封還事
遂不行溫遇疾諷朝廷求九錫袁宏爲文以示彪
之彪之視訖歎其文辭之美謂宏曰卿固大才安
可以此示人時謝安見其文又頻使宏改之宏遂

逡巡其事既屢引日乃謀於彪之彪之曰聞彼病日增亦當不復支久自可更小遲迴宏從之溫亦尋死尋遷尚書令與安共掌朝政安每曰朝之大事衆不能決者諮王公無不得判以年老上疏乞骸骨詔不許至太元二年卒

范甯字武子南陽順陽人少篤學多所通覽簡文帝爲相將辟之爲桓溫所諷遂寢時浮虛相扇儒雅日替甯著論以王弼何晏之罪深於桀紂溫死之後始解褐爲餘杭令在縣興校養生徒絜己修

禮志行之士莫不宗之朞年化行在縣六年遷臨淮太守封陽遂鄉侯頃之徵拜中書侍郎在職多所獻替時更營新廟博求辟雍明堂之制甯據經傳奏上皆有典證孝武帝雅好文學甚被親愛朝廷疑議輒諮訪之甯指斥朝士直言無諱出爲豫章太守在郡又大設庠序遣人往交州採磬石以供學用改革舊制不拘常憲遠近至者千餘人資給衆費一出私録并取郡四姓子弟皆充學生課讀五經又起學臺功用彌廣江州刺史王凝之上

言孝武以寗所務惟學事久不判會赦免既免官家於丹陽猶勤經學終年不輟年六十三卒於家初寗以春秋穀梁氏未有善釋遂沉思積年爲之集解其義精審爲世所重

謝安字安石陳郡陽夏人少有時名朝命敦逼皆不就人爲語曰安石不起當如蒼生何年四十餘始應大司馬温命爲司馬温深重之尋除吳興太守在官無當時譽去後爲人所思頃之徵拜侍中遷吏部尚書中護軍簡文崩温入赴山陵止新亭

大陳兵衛延見朝士或言將害王謝遂移晉室坦之甚懼見温流汗沾衣倒執手板安從容就席坐定謂温曰安聞諸侯有道守在四隣明公何須壁後置人耶温笑曰正自不能不爾遂笑語移日時孝武帝富於春秋政不自已温威震内外人情噂喈互生同異安與坦之盡忠匡翼終能輯穆及温病篤諷朝廷加九錫使袁宏具草安見輒改之由是歷旬不就會温薨錫命遂寢尋爲尚書僕射詔總關中書事疆敵寇境邉書續至安每鎮以和靖

人情頗安符堅率衆號百萬入寇次于淮淝京師震恐加安征討大都督玄入問計安夷然無懼色荅曰已別有旨既而寂然玄不敢復言乃令張玄重請命遂命駕出山墅親朋畢集方與玄圍棋賭別墅安棋常劣于玄是日玄懼便爲敵手而又不勝安顧謂其甥羊曇曰以墅乞汝安遂游涉至夜乃還指校將帥各當其任玄等既破堅有驛書至安方對客圍棋看書竟便攝放牀上了無喜色棋如故客問之徐荅云小兒輩遂已破賊既罷還内

過戶限心喜甚不覺屐齒折其矯情鎮物如此性好音樂朞喪不廢絲竹王坦之書喻之不從衣冠效之遂以成俗又於土山營墅樓館林竹甚盛每攜中外子姪往來游集肴饌亦屢費百金世頗以此譏焉而安殊不屑意常疑劉牢之不可獨任又知王裕之不宜專城後皆如其言由是識者服其知人時會稽王道子專權安出鎮廣陵築新城而居之安雖受朝寄然東山之志始末不渝每形於言色及鎮新城盡室而行造汎海之裝欲須經略

粗定自海道還東雅志未就遇疾篤遂還都謂所
親曰昔桓溫在時吾常懼不全忽夢乘溫輿行十六
里見一白鷄而止乘溫輿者代其位也十六里止
今十六年矣白鷄主酉今太歲在酉吾病殆不起
乎乃上疏遜位詔遣侍中尚書喻旨先是安發石
頭金鼓忽破又語未嘗謬而忽一誤衆亦怪異之
尋卒年六十六贈太傅謚曰文靖安避亂渡江遂
家建業其後衣冠人物與王導等時稱江左王謝
謝玄字幼度太保安之姪也少穎悟爲安所器重

及長有經國才略屢辟不起後桓温辟安與王珣爲掾並禮重之符堅強盛邊境數被侵寇時求文武良將可以鎮禦北方者安乃以玄應舉中書郎郗超雖素與玄不善聞而嘆之曰安違衆舉親明也玄必不負舉才也時咸以爲不然超曰吾嘗與玄共在桓公府見其使才雖履屐閒亦得其任所以知之於是徵還拜建武將軍兗州刺史領廣陵相監江北諸軍事廼選精銳數千人以劉牢之爲帥號北府兵敵人畏之時符堅遣軍圍襄陽屢破

走之進號冠軍加領徐州刺史還廣陵以功封東興縣侯及符堅自率兵次於項城衆號百萬玄先遣劉牢之五千人直指洛澗斬梁成堅列陣臨淝水軍不得渡乃使謂符融曰君遠涉吾境而臨水爲陣是不欲速戰諸軍稍却令將士得周旋僕與君緩轡而觀之不亦樂乎堅衆皆曰宜阻淝水莫令得上我衆彼寡勢必萬全堅曰但却軍令得過而我以鐵騎數十萬向水逼而殺之融亦以爲然遂麾使却陣衆因亂不能止于是玄等以精銳八

于涉淝水大戰堅中流矢臨陣斬符融敵衆奔波自相蹈籍投水死者不可勝計淝水爲之不流餘衆棄甲宵遁聞風聲鶴唳皆以爲王師已至草行露宿重以饑凍死者十七八獲堅乘輿雲母車儀服器械軍資山積牛馬驢騾駱駞十餘萬詔遣殿中將軍慰勞進號前將軍假節固讓不受賜錢百萬綵千疋既而安奏符堅喪敗宜乘其釁乃以玄爲前鋒都督率冠軍將軍桓石虔徑造渦潁經略舊都玄復率衆次于彭城遣參軍劉襲攻秦兖州

刺史張崇於鄄城走之使劉牢之守鄄城兖州既平玄患水道險澁粮運艱難用督護聞人奭謀堰呂梁水樹柵立七埭以利運漕自此公私利便堅子丕遣將屯黎陽玄命劉襲夜襲走之丕惶遽欲降玄許之丕告饑玄饋丕米二千斛又遣晉陵太守滕恬之渡河守黎陽三魏皆降以兖青司豫平加玄都督徐兖青司冀幽幷七州軍事封康樂縣公玄請以先封東興侯賜兄子玩詔聽之會翟遼據黎陽反執滕恬之又泰山太守張願舉郡叛河

北騷動玄自以處分失所上疏送節詔慰勞令且還鎮淮陰以朱序代鎮彭城玄遇疾求解職疏十餘上久之乃授會稽內史輿疾之郡卒於官追贈車騎將軍開府儀同三司謚曰獻武

王珣字元琳洽之子弱冠與陳郡謝玄爲桓溫掾俱爲溫所重嘗謂之曰謝掾年四十必擁旄杖節王掾當作黑頭公皆未易才也珣轉主簿時溫經略中夏竟無寧歲軍中機務並委珣焉文武數萬人悉識其面孝武雅好典籍珣與殷仲堪徐邈王

恭郗恢等並以才學文章見昵及王國寶自媚於會稽王道子而與珣等不協孝武慮身後怨隙必生故出恭恢為方伯而委珣端右珣夢人以大筆如椽與之既覺語人云此當有大手筆事俄而孝武崩哀冊謚議皆珣所草隆安初國寶用事謀黜舊臣遷珣尚書令王恭赴山陵欲殺國寶珣止之曰國寶雖終為禍亂要罪逆未彰今便先事而發必大失朝野之望恭乃止既而謂珣曰比來視君一似胡廣珣曰王陵廷爭陳平慎默但問歲終何

如耳恭尋起兵國寶將殺珣等僅得免恭復舉兵
假珣節進衛將軍都督瑯琊水陸軍事四年以疾
解職歲餘卒

吳隱之字處默濮陽鄄城人魏侍中質六世孫也
美姿容善談論博涉文史以儒雅標名弱冠而介
立有清操雖日晏歠菽不饗非其粟儋石無儲不
取非其道年十餘丁父憂每號泣行人為之流涕
事母孝謹及其執喪哀毀過禮家貧無人鳴鼓每
至哭臨之時恒有雙鶴警叫及祥練之夕復有群

鴈俱集時人咸以爲孝感所致隆安中爲廣州刺史假節領平越中郎將未至州二十里地名石門有水曰貪泉飲者懷無厭之欲隱之至泉所酌而飲之因賦詩曰古人云此水一歃懷千金試使夷齊飲終當不易心及在州清操踰厲常食不過菜帷帳器服皆付外庫亦始終不易盧循寇南海隱之率厲將士固守彌時長子曠之戰沒循攻擊百有餘日踰城放火焚燒三千餘家死者萬餘人城遂陷隱之携家累出欲奔還都爲循所得循表朝

姪以隱之黨附桓玄宜加裁戮詔不許劉裕與循書令遣隱之還久方得反歸舟之日裝無餘資及至都惟數畝小宅籬垣仄陋茆屋六間僅容妻子劉裕賜車牛更爲起宅固辭尋拜度支尚書太常以竹蓬爲屏風坐無氊席後遷中領軍清儉不革每月得禄裁留身粮其餘悉分振親族家人紡績以供朝夕時有困絶或并日而食身恒布衣不完妻子不霑寸禄義熈八年請老致事優詔許之授光禄大夫加金章紫綬賜錢十萬米三百斛九年

卒追贈左光禄大夫加散騎常侍隱之清操不渝
屢被褒飾致事及於身没常蒙優錫贈廉士以爲
榮初隱之爲奉朝請謝石請爲南将軍主簿隱之
将嫁女石知其貧素遣女必當率薄乃令移厨帳
助其經營使者至方見婢牽犬賣之此外蕭然無
辦其清介如此

南北朝王曇首太保弘少弟也幼有操尚除著作郎
不就兄弟分財曇首唯取圖書而已辟琅邪王大
司馬屬從府公修復洛陽園陵與從弟球俱詣宋

高祖時謝晦在坐高祖曰此君並膏粱盛德乃能屈志戎旅曇首荅曰既從神武之師自使懦夫有立志晦曰仁者果有勇行至彭城大會戲馬臺預坐者皆賦詩曇首文先成高祖覽讀因問弘曰卿弟何如卿弘荅曰若但如臣門户何寄曇首有識局智度喜愠不見於色閨門之内雍雍如也手不執金玉婦女不得爲飾玩自非禄賜所及一毫不受於人文帝鎮江陵時曇首自功曹爲長史轉鎮西長史高祖甚知之謂文帝曰王曇首沈毅有器度

宰相才也汝每事咨之景平中有龍見西方半天騰上蔭五彩雲京都遠近聚觀太史奏曰西方有天子氣文帝入奉大統議者皆疑不敢下曇首與到彥之固勸并言天人符應乃率府州文武嚴兵自衛臺所遣百官衆力不得近部伍中兵參軍朱容子抱刀侍衛在道有黄龍出負文帝所乘舟左右皆失色文帝謂曇首曰此乃夏禹所以受天命我何堪之及即位謂曇首曰非宋昌獨見無以致此以爲侍中尋領右軍將軍徐羨之謝晦等誅曇

首與有力文帝欲封之會讌集因拊御牀曰此坐非卿兄弟無復今日時封詔已成出以示曇首曇首曰近日之事釁難將成賴陛下英明速斷故罪人斯戮臣等雖得仰憑天光效其毫露豈可因國之災以爲身幸陛下雖欲私臣當如直史何封事遂寢時兄弘錄尚書事又爲揚州刺史曇首爲上所親委任兼兩官彭城王義康與弘並錄意常怏怏又欲得揚州形於辭旨以曇首居中分其權任愈不悅曇首固乞吳郡文帝曰豈有欲建大廈而

遺其棟梁者哉賢兄比屢稱疾固辭州任將來若相申許者此處非卿而誰亦何吳郡之有時弘久疾屢遜位不許義康謂賓客曰王公久疾不起神州詎合卧治曇首勸弘減府兵之半以配義康義康乃悦七年卒文帝爲之慟中書舍人周起侍側曰王家欲衰賢者先殞文帝曰直是我家衰耳追贈左光禄大夫

謝弘微晉太保安之族孫也從叔峻無後以弘微爲嗣幼時精神端審時然後言所繼叔父混名知

人見而異之曰此兒深中夙敏方成佳器有子如此足矣晉義熙初龔峻爵建昌縣侯弘徵家素貧儉而所繼豐泰唯受書數千卷國吏數人而已遺財祿秩一不關預混聞而驚歎謂國郎中令漆凱之曰建昌國祿本應與北舍共之國侯既不措意今可依常分送弘徵重違混言乃少有所受混風格高峻少所交納唯與族子靈運瞻曜弘徵並以文義賞會嘗共宴處居在烏衣巷故謂之烏衣之遊其外雖復高流時譽莫敢造門瞻等才辭辯富

弘微每以約言服之混特所敬貴號曰微子謂瞻
等曰汝諸人雖才義豐辯未必皆愜衆心至於領
會機賞言約理要故當與我共推微子又曰微子
異不傷物同不害正若年迨六十必至公輔嘗因
酣宴之餘爲顏語以獎勸靈運瞻等並有激厲
之言唯弘微獨盡褒美義熙八年混以劉毅黨獲
罪妻晉陵公主改適琅琊王練公主雖執意不行
而詔與謝氏離絶公主以家事委之弘微混仍世
宰輔一門兩封田業十餘處僮僕千人唯有二女

年數歲弘徽經紀生業事若在公一錢尺帛出入
皆有文簿遷通直郎宋高祖既即位以混得罪前
代東鄉君節義可嘉聽還謝氏自混亡至是九載
而室宇修整倉廩充盈門徒僕使不異平日田疇
墾闢有加於舊東鄉君嘆曰僕射平生重此子可
謂知人僕射為不亡矣弘徽性嚴正舉止必循禮
度事繼親之黨恭謹過常或傳語通訊輙正其衣
冠婢僕之前不妄言笑由是尊卑大小敬之若神
文帝即位為黄門侍郎與王華王曇首殷景仁劉

湛等號曰五臣遷尚書吏部郎叅預機密兄曜卒弘微蔬食積時哀慼過禮服雖除猶不噉魚肉沙門釋慧琳詣弘微弘微與之共食猶獨蔬食慧琳曰檀越素既多疾頃者肌色微損即吉之後猶未服膳若以無益傷生豈所望於得理弘微答曰衣冠之變禮不可踰在心之哀實未能已遂廢食感咽歔欷不自勝弘微少孤事兄如父兄弟友穆之至舉世莫及也弘微口不言人短長而曜好臧否人物曜每言論弘微常以他語亂之六年東宮始

建領中庶子又尋加侍中固讓不拜乃聽解中庶子每有獻替及論時事必手書焚草人莫之知九年東鄉君薨資財鉅萬弘微一無所取自以私祿營葬混女夫殷叡素好樗蒱聞弘微不取財物乃濫奪以還戲責內人皆化弘微之讓一無所爭東鄉君葬混墓開弘微牽疾臨赴病遂甚十年卒

雷次宗字仲倫豫章南昌人少慕棲逸不關榮利元嘉十五年徵至京師開館於雞籠山聚徒教授置生徒百餘人時四學並建文帝數幸次宗館資

給甚厚又除給事中不就久之還廬山後又徵詣建康爲築室於鍾山西巖下謂之招隱館使爲太子諸王講喪服禮經次宗不入公門乃使自華林東門入延賢堂就業二十五年卒於鍾山

王僧綽曇首子幼有大成之度衆以國器許之好學有理思練朝典宋元嘉中從尚書吏部郎參掌大選究識流品諳悉人物拔才舉能咸得其分二十八年遷侍中任以機密僧綽沈深有局度不以才能高人文帝末年頗以後事爲念以其年少方

欲大相付託朝政小大皆與參焉從兄徽清介士
也懼其太盛勸令損抑僧綽乃求吳郡及廣州文
帝並不許會二凶巫蠱事泄文帝獨先召僧綽具
言之及將廢立使尋求前朝舊典劭於東宮夜饗
將士僧綽密以啓聞文帝又令撰漢魏以來廢諸
王故事謂僧綽曰諸人各爲身計便無與國家同
憂者僧綽曰建立之事仰由聖懷臣謂唯宜速斷
不可稽緩當斷不斷反受其亂願以義割恩畧小
不忍不爾便應坦懷如初無煩疑論淮南云以石

挟水吳越之善後取之事機雖容易致宣廣不可
使難生處表取笑千載文帝曰卿可謂能斷大事
此事重不可不殷勤三思且庚人始亡人將謂我
無復慈愛之道僧綽曰臣恐千載之後言陛下唯
能裁弟不能裁兒帝默然江湛同侍坐出閤謂僧
綽曰向言不太直切僧綽曰弟亦恨君不直及劭
弒逆轉爲吏部尚書委以事任頃之劭料檢巾箱
及江湛家書疏得僧綽所啓饗士并廢諸王事乃
收害焉時年三十一

王僧虔僧綽弟世爲宰輔昆仲有時名太保弘無
與兄弟集會任諸子孫相戲僧達下地跳作虎子
僧虔年數歲獨正坐採蠟燭珠爲鳳凰弘曰此兒
終當爲長者弱冠善隸書宋文帝見其書素扇歎
曰非唯跡逾子敬方當器雅過之除秘書郎太子
舍人退默少交接與袁淑謝莊善轉義陽王文學
太子洗馬遷司徒左西屬兄僧綽爲元凶所害親
賓咸勸僧虔逃僧虔涕泣曰吾兄奉國以忠貞撫
我以慈愛今日之事苦不見及耳若同歸九泉猶

羽化也孝建初出爲武陵太守兄子儉於中途得病僧虔爲廢寢食同行客慰喻之僧虔曰昔馬援處兒姪之間一情不異鄧攸於弟子更逾所生吾實懷其心誠未異古亡兄之胤不宜忽諸若此兒不救便當回舟謝職無復遊宦之興矣還爲中書郎轉黄門郎太子中庶子孝武欲擅書名僧虔不敢顯跡大明世常用拙筆書以此見容出爲豫章王子尚撫軍長史遷散騎常侍復爲新安王子鸞北中郎長史南東海太守行南徐州事二藩皆孝

武愛子也尋遷豫章內史入爲侍中遷御史中丞領驍騎將軍甲族向來多不居憲臺王氏以分枝居烏衣者位官微減僧虔爲此官乃曰此是烏衣諸郎坐處我亦可試爲耳復爲侍中領屯騎校尉泰始中出爲吳興太守又徙會稽中書舍人阮佃夫請假東歸客勸僧虔以佃夫要倖宜加禮接僧虔曰我立身有素豈能曲意此輩彼若見惡當佛衣去耳佃夫言於明帝坐免官尋以白衣兼侍中出監吳郡太守歷湘州刺史所在以寬惠著稱巳

峽流民多在湘土僧虔表割益陽羅湘西三縣緣江民立湘陰縣從之昇明二年為尚書令僧虔好文史解音律以禮樂多違正典民間競造新聲雜曲欲釐正雅樂不果齊高帝革命遷持節都督湘州諸軍征南將軍湘州刺史侍中如故清簡無所欲不營財產百姓安之武帝即位僧虔以風疾欲陳解會遷侍中左光祿大夫開府儀同三司僧虔少時群從宗族並會客有相之者云僧虔年位最高仕當至公餘人莫及至是乃謂兄子儉曰汝任

重於朝行當有八命之禮我若復此授則一門有二台司實可畏懼乃固辭不拜武帝優而許之改授侍中特進左光祿大夫客問僧虔固讓之意僧虔曰君子所憂無德不憂無寵吾衣食周身榮位已過所慚庸薄無以報國豈容更受高爵方貽官謗耶兄子儉爲朝宰起長梁齋制度小過僧虔視之不悦竟不入户儉即毁之永明三年薨僧虔頗解星文坐見豫章分野當有事故時僧虔子慈爲豫章内史慮其有公事少時僧虔卒慈棄郡奔赴

時年六十

王儉字仲寶僧綽子幼孤爲叔僧虔所養數歲襲爵豫章侯拜受茅土流涕嗚咽幼有神彩專心篤學手不釋卷丹陽尹袁粲聞其名言於宋明帝尚陽羨公主解褐爲太子舍人起遷秘書丞上表求校墳籍依七畧撰七志四十卷獻之表辭甚典又撰定元徽四部書目蒼梧暴虐求出補義興太守還爲黃門即齊高帝爲太尉引爲右長史恩禮隆密專見任用儉少有宰相之志物議咸相推許時

大典將行儉爲佐命禮儀詔策皆出其手褚淵嘗爲禪詔文使儉參治之齊臺建遷右僕射領吏部時年二十八建元元年改封南昌縣公明年轉左僕射屢有興作輒上疏諫止詔嘉納爲時制度草創儉識舊事問無不荅高帝嘆曰詩云維嶽降神生甫及申今亦天爲我生儉也其年固請解選不許嘗侍曲宴群臣數人各使効伎藝褚淵彈琵琶王僧虔彈琴沈文季歌子夜張敬兒舞王敬則拍張儉曰臣無所解唯知誦書因跪誦相如封禪書

高帝咲曰此感德之事吾何以堪之後又使陸澄誦孝經自仲尼居而起儉曰澄所謂博而寡要臣請誦之乃誦君子之事上章高帝曰善張子布更覺非奇也尋以本官領太子詹事高帝殂遺詔以儉爲侍中尚書左鎮軍將軍武帝即位給班劒二十人永明二年領國子祭酒丹陽尹官如故三年又領太子少傅本州中正解丹陽尹舊太子敬二傅同至是朝議接少傅以賓友之禮是歲省摠明觀於儉宅開學悉以四部書充儉家又詔儉以家

爲府四年以本官領吏部僉長禮學諳究朝儀每博議證引先儒罕有其例八坐丞郎無能異者令史諮事賓客滿席僉應接銓序旁無留滯十日一還學監試諸生巾卷在庭劒衛令史儀容甚盛作解散髻斜插幘簪朝野慕之相與放效僉常謂人曰江左風流宰相唯有謝安蓋自比也武帝深委仗之士流選用奏無不可僉屢啓求解選不許七年卒

謝朏字敬冲弘微孫也幼聰慧十歲能屬文父莊

遊士山賦詩使朏命篇朏攬筆便就莊因撫朏背曰真吾家千金宋孝武遊姑孰勅莊携朏從詔使爲洞井賛於坐奏之孝武曰雖小奇童也起家撫軍法曹蕭道成輔政選朏爲長史勅與褚炫江斅劉俁俱入侍號爲天子四友道成進太尉又以朏爲長史帶南海太守道成方圖禪代思佐命之臣以朏有重名深所欽屬論魏晉故事因曰晉革命時事久兆石苞不早勸晉文死方慟哭方之馮異非知機也朏荅曰昔魏臣有勸魏武即帝位者魏

武曰如有用我其爲周文王乎晉文世事魏氏將必身終北面假使魏早依唐虞故事亦當三讓爾道成不悅更引王儉爲左長史以胐侍中領秘書監及齊受禪胐當日在直百僚陪位侍中當解璽胐佯不知曰有何公事傳詔云解璽授齊王胐曰齊自應有侍中乃引枕臥傳詔懼乃使稱疾胐曰我無疾何所道遂朝服步出東掖門乃得車還宅是日遂以王儉爲侍中解璽既而太子賾言於高帝請誅胐高帝曰殺之則遂成其名正應容之度

外耳遂廢于家後復爲義興太守在郡不省雜事悉付綱紀曰吾不能作主者吏但能作太守耳視事三年徵都官尚書中書令隆昌元年求外補領吳興太守西昌侯鸞謀入嗣位朝之舊臣皆引參謀策朏內圖止足且實避事弟瀹時爲吏部尚書朏至郡致瀹數斛酒遺書曰可力飲此勿豫人事朏居郡每不治而常務聚斂衆頗譏之亦不屑也建武四年詔徵爲侍中中書令遂抗表不應召遣諸子還建康獨與母留築室郡之西郭明帝屢徵

不至梁武帝踐阼徵爲侍中光祿大夫開府儀同三司又不屈仍遣領軍司馬王果宣旨敦譬明年六月朏輕舟出詣闕自陳既至詔以爲侍中司徒尚書令朏辭足疾不堪拜謁乃角巾肩輿詣雲龍門謝詔見於華林園明旦武帝幸朏宅醼語盡懽朏固陳本志不許因請自還迎母乃許之臨發復臨幸賦詩餞別士人送迎相望於道建康勅材官起府於舊宅武帝臨軒遣謁者於府拜授詔停諸公事及朔望朝謁三年元會詔朏乘小輿升殿後

五年改授中書監司徒衛将軍並固讓不受遣謁者敦授乃拜受焉是冬卒於府

謝瀹字義潔朏之弟少簡靜有韻度王彧見而異之言於宋孝武孝武召見於稠人廣衆中舉動閑詳應對合旨孝武甚悅僕射褚淵聞瀹年少清正以女結婚解褐車騎行參軍遷祕書郎司徒祭酒丹陽丞撫軍功曹齊臺建遷太子中舍人建元初以母老須養出爲安成内史還爲中書郎王儉引爲長史雅相禮遇除黄門郎永明中轉長史兼侍

中瀛以晨昏有廢固辭不許遷司徒左長史出爲吳興太守長城縣民盧道優家遭刼誣同縣殷孝悌等四人爲刼瀛收付縣獄考正孝悌母駱詣登聞訴稱孝悌爲道優所誹謗橫劾爲刼一百七十三人連名保徵所在不爲申理瀛聞孝悌母訴乃啓建康獄覆道優理窮款首依法斬刑有司奏免瀛官瀛又使典藥吏煑湯失火燒郡外齋南廂屋五間又輒鞭除身爲有司所奏詔並贖論在郡稱爲美績母喪去官服闋爲吏部尚書蕭鸞廢鬱林

領兵入殿左右驚走報瀟瀟與客圍棊每下子輒云棊當有意畢局乃還齋卧意不問外事鸞又廢海陵自立瀟遂屬疾不視事後燕會功臣尚書令王晏等與席瀟獨不起曰陛下受命應天從民王晏妄叨天功以爲己力明帝大咲解之座罷晏呼瀟共載還令省欲相撫悦瀟又正色曰君巢窟在何處晏初得班劍瀟謂之曰身家太傅裁得六人君何事一朝至此晏甚憚之加領右軍將軍兄朏在吳興論啓稽晚瀟輒代爲啓被問見原轉侍中領

太子中庶子豫州中正永泰元年轉散騎常侍太子詹事卒

顔見遠晉侍中含七世孫爲御史治書正色立朝有當官之稱及梁武帝受禪見遠痛哭而死梁武曰我自應天順人何與天下人事而見遠乃至于此當時嘉其忠烈

王志字次道僧虔子九歲居所生母憂哀容毀瘠爲中表所異弱冠選尚宋孝武女安固公主褚淵爲司徒引志爲主簿謂僧虔曰朝廷之恩本爲殊

特所可光榮在庭賢子尋除宣城內史清謹有恩惠郡民張倪吳慶爭田經年不決父老乃相謂曰王府君有德政吾曹鄉里乃有此爭倪因相携請罪所訟地遂爲閑田徵拜黄門侍郎尋遷吏部侍郎出爲寧朔將軍東陽太守郡獄有重囚十餘人冬至日悉遣還家過節皆返惟一人失期獄司以爲言志曰此自太守事主者勿憂明旦果自詣獄辭以婦孕吏民益嘆服之齊永明二年轉吏部尚書在選以和理稱崔慧景平以例封臨汝侯固讓

不受梁武帝至城内百僚署名送東昏首志聞而歎曰冠雖獘可加足乎因取庭中樹葉挼服之僞悶不著名武帝覧牋無志名心嘉之弗以讓也天監元年除丹陽尹爲政清靜去煩苛建康有寡婦無子姑亡舉債以斂葬既葬而無以還之志愍其義以俸錢償焉時年饑每旦爲粥於郡門以賦百姓民稱之不容口三爲散騎常侍中書令常懷止足謂諸子姪曰謝莊在宋孝武世位止中書令吾自視豈可過之因多謝病簡通賔客終金紫光禄

大夫十二年卒志善草隸當時以爲楷法徐希秀亦號能書常謂志爲書聖志家世居建康禁中里馬糞巷父僧虔以來門風多寬恕志尤惇厚所歷職不以罪咎劾人門下客嘗盜脫志車轄賣之志知而不問待之如初賓客游其門者專覆其過而稱其善兄弟子姪皆篤實謙和時人號馬糞諸王爲長者

王筠字元禮僧虔孫也幼警寤七歲能屬文年十六爲芍藥賦甚美及長清靜好學有重譽王氏

江以來未有居郎署者筠除殿中郎或勸逡巡不
就筠欣然供職尚書令沈約當世辭宗每見筠文
咨嗟吟咏以爲不逮也嘗謂筠昔蔡伯喈見王仲
宣稱曰此王公之孫也吾家書籍悉當相與僕雖
不敏請附斯言自謝朓諸賢零落巳後平生意好
殆將都絶不謂疲暮復逢於君約於郊居宅造閣
齋筠爲草木十詠書之於壁皆直寫文詞不加篇
題約謂人云此詩指物呈形無假題署約製郊居
賦構思積時猶未都畢乃要筠示其草筠爲文能

壓強韻每公宴並作辭必妍美約常從容啓梁武帝曰晚來名家唯見王筠獨步累遷太子洗馬中舍人並掌東宮管記昭明太子愛文學士常與筠及劉孝綽陸倕到洽殷芸等遊宴玄圃太子獨執筠袖撫孝綽肩而言曰所謂左把浮丘袖右拍洪崖肩其見重如此筠又與殷芸以方雅見禮焉出爲丹陽尹丞北中郎諮議參軍遷中書郎奉敕撰中書表奏三十卷及所上賦頌爲一集普通元年以母憂去職毀瘠過禮侯景之亂筠時不入城明

年太宗即位為太子詹事筠舊宅先為賊所焚乃
寓居國子祭酒蕭子雲宅夜忽有盜攻驚懼墜井卒
筠少擅才名與劉孝綽見重當世沈約云自開闢以
來未有爵位蟬聯文才相繼如王氏之盛者也
到溉字茂灌武原人曾祖彥之宋驃騎將軍遂家
建康溉少孤貧聰敏有才學早為任昉所知由是
聲名益廣起家為湘東王長史梁武帝敕曰到溉
非直為汝行事足為汝師間有進止每須詢訪遭
母憂居喪盡禮服闋猶蔬食布衣者累載除江夏

太守入爲左民尚書溉身長八尺美風儀善容止所涖以清白自修性又率儉不好聲色虛室單牀傍無姬侍自外車服不事鮮華冠履十年一易朝服或至穿補傳呼清路示有朝章而已性友愛初與弟洽常共居一齋洽卒後便捨爲寺因斷腥羶終身蔬食蔣山有延賢寺者溉家世創立故生平公俸咸以供焉又不好交游惟與朱异劉之遴張綰同志友密及卧疾家園門可羅雀三君每歲時常鳴騶枉道以相存問置酒叙生平極歡而去臨

終囑子孫以薄葬之禮卒時年七十二洽字茂沿
亦聰慧夙成文詞敏贍天監中與溉俱擢用而洽
尤見知賞從弟流亦有時名武帝嘗問丘遲到洽
何如溉流對曰正清過於流文章不減溉加以清
言殆將難及時人比之二陸
周捨字昇逸其先安成人父顒隱鍾山遂家建康
後出爲齊中書侍郎有名于時捨博學多通尤精
義理起家齊太學博士遷後軍叅軍建武中名爲
口辯王亮爲丹陽尹聞而悅之辟爲主簿政事多

委焉遷太常丞梁臺建爲奉常丞高祖即位博求
異能之士吏部尚書范雲與顒素善重捨才器言
之於高祖召拜尚書祠部郎時天下草創禮儀損
益多自捨出尋爲後軍記室參軍秣陵令入爲中
書通事舍人累遷太子洗馬散騎常侍中書侍郎
鴻臚卿時王亮得罪歸家故人莫有至者捨獨敦
恩舊及卒身營殯葬時人稱之遷尚書吏部郎太
子右衛率右衛將軍雖居職屢徙而常留省內國
史詔誥儀體法律軍旅謀謨皆兼掌之預機密二

十餘年未嘗離左右捨素辯給與人汎論談謔終日不絶口而竟無一言漏泄機事衆尤歎服之性儉素衣服器用居處牀席如布衣之貧者歷太子詹事卒

傅昭字茂遠其先靈州人六歲而孤哀毀如成人者宗黨咸異之雍州刺史袁顗嘗來昭所昭讀書自若神色不改顗歎曰此兒神情不凡必成佳器司徒建安王休仁聞而悅之因欲致昭昭以宋氏多故遂不往或有稱昭於廷尉虞愿愿遣車迎昭

時愍宗人通之在坐並當世名流通之贈昭詩曰英妙擅山東才子傾洛陽清塵誰能嗣及爾遘遺芳太原王延秀薦昭於丹陽尹袁粲深爲所禮辟爲郡主簿使諸子從昭定其所制每經昭户輒歎曰經其户寂若無人披其帷其人斯在豈得非名賢齊永明中累遷員外郎明帝踐阼引昭爲中書通事舍人時居此職皆勢傾天下昭獨無所干預器服率陋身安麤糲常插燭於板牀明帝聞之賜漆合燭盤等敕曰卿有古人之風故賜卿古人之

物天監中爲安成內史安成自宋以來兵亂郡舍
號凶及昭爲郡郡內人夜夢見兵馬鎧甲甚盛又
聞有人云當避善人軍衆相與騰虛而逝夢者驚
起俄而疾風暴雨倏忽便至數間屋俱倒即夢者
所見軍馬踐蹈之所也自後郡舍遂安咸以昭正
直所致郡溪無魚或有暑月薦昭魚者昭既不納
又不欲拒遂餧於門側十七年出爲臨海太守郡
有密巖前後太守皆自封固專收其利乃教勿封
縣令常餉栗寘絹于簿下昭笑而還之昭爲政不

尚嚴肅居朝廷無所請謁不畜門生不交私利終
口端居以書記爲樂雖老不衰博極古今尤善人
物魏晉以來官宦簿閥姻通內外舉而論之無所
遺失性尤篤慎子婦嘗得家餉牛肉以進昭召其
子曰食之則犯法告之則不可取而埋之其居身
行已不負闇室類皆如此後進宗其學重其道人
人自以爲不逮遂終于建康

蕭眎素蘭陵人思話孫也天監中丹陽丞初拜武
帝賜錢八萬眎素一朝散之親友性靜退少嗜欲

好學能清言榮利不關於口喜怒不形於色在人間及居職並任情通率不自矜高天然簡素士人以此咸敬之久居建康有終焉之志乃於攝山築室徵爲中書侍郎不就獨居屏事非親戚不得至其籬門謚曰貞文先生

阮孝緒字士宗其先尉氏人父彦之宋太尉從事中郎孝緒七歲出後從伯胤之胤之毋周氏卒有遺財百餘萬應歸孝緒孝緒一無所納盡以歸胤之姊琅邪王晏之毋聞者咸歎異之幼至孝性沈

靜雖與兒僮遊戲恒以穿池築山爲樂年十三徧通五經十五冠父彥之誡曰三加彌尊人倫之始宜思自勗以庇余躬咎曰願迹松子於瀛海追許由於窮谷庶保促生以免塵累自是屏居一室非定省未嘗出户家人莫見其面親友因呼爲居士外兄王晏貴顯屢至其門孝緒以爲必至顛覆常逃匿不與相見曾食醬美問之云是王家所得便吐飡覆醢及晏誅其親戚咸爲之懼孝緒曰親而不黨何坐之及竟獲免武帝兵至建康家貧無以

爨僮妾竊隣人樵以繼火孝緒知之乃不食更令撤屋而炊所居室唯有一鹿牀竹樹環繞天監初御史中丞任昉尋其兄履之欲造而不敢望之歎曰其室雖邇其人甚遠爲名流所欽尚如此十二年與吳郡范元琰俱徵並不至陳郡袁峻謂之曰往者天地閉賢人隱今世路已清而子猶遁可乎答曰昔周德雖興夷齊不厭薇蕨漢道方盛黄綺無悶山林爲仁由已何関人世況僕非往賢之類邪後扵鍾山聽講母王氏忽有疾兄弟欲召之母

曰孝緒至性冥通必當自至果心驚而返鄰里嗟異之合藥須得生人葠舊傳鍾山所出孝緒躬歷幽險累日不値忽見一鹿前行孝緒感而隨後至一所遂就視果獲此草母服之遂愈時皆歎其孝感所致有善筮者張有道謂孝緒曰見子隱跡而心難明自非考之龜蓍無驗也及布卦既搆五爻曰此將爲咸應感之法非嘉遁之兆孝緒曰安知後爻不爲上九果成遁卦有道歎曰此謂肥遁無不利象實應德心迹幷也孝緒曰雖遁卦而上九

爻不發升遐之道便當高謝及著高隱傳上自炎
黄終于天監之末斟酌分爲三品凡若干卷南平
元襄王聞其名致書要之不赴孝緒曰非志驕富
貴但性畏廟堂若使麏麚可驂何以異夫騏騄㓜
建武末清溪宮東門無故自崩大風拔東宮門外
楊樹或以問孝緒曰清溪皇家舊宅齊爲木行東
者木位今東門自壞木其衰矣鄱陽王妃孝緒之
姊王嘗命駕欲就之遊孝緒鑿垣而逃卒不肯見
諸甥歲時饋遺一無所納人或怪之荅云非我始

頹故不受也其恒所供養石像先有損壞心欲治補經一夜忽然完復衆並異之大同二年卒時年五十八門徒誄其德行謚曰文貞處士

馬樞扶風人博洽經史爲當世宗尚邵陵王綸鎮徐州引爲學士甚被知賞太清之難避居茅山以文籍自娛陳文帝徵爲度支尚書辭不赴樞少屬離亂行義人所欽仰凡所居處盜賊輒不犯人爭附之依止常數百家有白燕一雙巢于庭樹甚馴狎春去秋來幾三十年時人以爲異

宋阮思聰字仲謀固始縣人弱冠膂力絶人善騎射喜讀左氏春秋及兵家書積戰功累官吉州團練使知黄州事來居建康歷官所至有聲曾遣人詣賈似道欲以重兵守鹿門山又言當由海道以擣青齊則襄圍自解皆不見聽師潰聰歸建康權馬司徐王榮都統翁福等畀制置司已下印鑰來告曰大兵且至趙制置已去城中惟節使官當望救一城之命聰曰我宋臣子也受宋恩厚不敢以城獻王榮等知不可强乃止至元十八年病亟家人

見神人長丈餘被甲立廳事前聰遂卒聰初受知呂文徳趙葵王鑑皆加器重慷慨有大志治軍二十餘年未嘗妄戮一人爲郡處事務在平恕所至民皆德之篤於親義嫁孤女十餘人素有知人之鑒薦李珏于朝牛皐其部將也張世傑之初歸久未知名聰召與語奇之薦于文德後竟著忠節云

文復之字廷貫合州人登王會龍榜第三名及第授閬州掌書記累官至湖北提刑以起居舍人召毋切齒丁大全所爲與人言我見上必極言其姦

邪大全覺之止不得見乞補得授朝散大夫主管成都府玉局觀欲還蜀道經建康時邉事日亟焉光祖守郡留不聽行遂居郡之修文坊元廉希憲宣撫江東欽其名待如師友欲以故官薦之仕力辭不應以經史自娛終其身子揆嘗爲工部架閣遵父志亦不仕元云

元 楊剛中字志行其先處之松陽人曾大父遂知黄陂縣徙家建康剛幼頴異力學家貧與兄敏中竭力以養內行淳篤行臺移治建康至者必禮其廬

由是聲譽益振以省辟主江寧縣學升平江路教
授未赴擢福建閩海廉訪司管勾承發架閣庫兼
照磨行李蕭然若旅寓者部使者至改容禮貌僚
寀與之言必稱先生兩主文衡所簡拔皆知名士
或以不及貢額爲言曰國家設科目求賢才可濫
取以充額耶丞相脫歡薦於朝召爲翰林待制兼
編修官月餘謝病歸居家講學不倦所著有易通
微說詩講義若干卷出子李桓亦文學知名
大明陳遇字中行其先曹人宋建炎中曰義甫者爲

翰林學士南渡遂家建康遇誠純篤爲實德宇粹然博學綜覽元末教授温州尋棄官歸

高皇帝定金陵搜訪人才御史秦元之薦遇宜備顧問

上素聞其名　御書稱中行先生以伊呂孔明濟世安民起之遇就召

上與語大悅遇亦竭誠委已禮待日隆凡三幸其第命以官輒辭不受

上即帝位詢保國安民大計遇以不殺人薄歛任賢

爲對再除翰林學士固辭賜輿一乘衛士十人被
命使兩浙還稱　旨賜金除禮部侍郎又固辭會
疾遣醫診視愈入謝
上稱君子者再召對華蓋殿賜坐草平西詔賞賚有
加西域進良馬諫却之兩除太常卿禮部尚書皆
固辭
上曰朕不强卿以官成卿之高每進見陳說必根諸
仁義人有過被譴皆力爲言
上每俞允其優禮寵渥羣臣莫敢望嘗曰卿老矣有

子可帶刀侍衛遇伏地對曰臣三子皆幼待成立
以効馳驅及卒
上親爲文以祭　賜葬鍾山子恭仕至工部尚書
周瑄字廷玉其先陽曲人宣德乙卯貢士初爲刑
部主事歷陞南京刑部尚書致仕瑄性寬大善議
論守官廉故鄉無田宅可歸遂家江寧卒謚莊懿
贈太子少保
童軒字士昂其先鄱陽人以欽天監家應天景泰
辛未進士授南京吏科給事中時貢翠毛魚鮑諸

物以萬計軒䟽止之又陳彌盜安民數事成化初
上封事皆見施行之蜀寇起往諭之即平三原王恕
云公不加兵而四境寧官三品謝政家無餘貲可
以見公平生矣官至禮部尚書卒贈太子少保
賜葬祭
金澤其先鄞人徙江寧少嗜學勤敏日居學宮成
化丙戌進士授刑部主事進郎中擢四川布政司
參議蜀大饑率轉運所活甚衆進布政拜都御史
進南京刑部右侍郎改兵部歷九年僅轉南京都

察院右都御史 命下適
孝皇不豫人疑爲矯制後史官檢章疏月日乃得辯
其誣
陳鋼字堅遠其先鄞人 國初籍太醫院以醫名
南京鋼獨喜儒術從師游講讀不勌舉成化乙酉
鄉試授黔陽知縣爲政通大體恤養惸獨民有無
告者闢荒田俾墾爲巳業積穀數千石以備荒年
民翕然以懷廼興學校謹禮讓黔俗居喪擊鼓羣
歌歌且俚鋼知難卒禁也獨教以歌哀辭俗遂改

流湘水合流城下數壞民居廼治石堤幾萬尺水遂不溢縣南有道徑崖上石險狹僅容人跡辰流諸路軍戍靖州者往往夜墮崖下鋼聚薪烈石而鑿之外繚以索行者賴焉秩滿當去民遮道泣留擢長沙通判岳麓書院圮廢已久鋼至修復之士子絃誦一時爲盛在長沙者三年弘治丙辰以母喪歸遘疾卒

伊乘字德載吳人爲應天府學生舉進士授南京刑部主事員外郎管諸司奏牘稱其學擢四川按

察僉事理冤抑活饑民討除劇賊稱其政三載乞
終養遂不復仕
陳鎬字宗之其先紹興人以欽天監家南京少與
弟欽有文學名成化丙午同舉應天鄉貢鎬第一
人明年同舉進士皆由郎署鎬山東督學副使欽
亦爲廣東督學副使先卒鎬在山東成就學者甚
多至今思之官至副都御史巡撫湖廣卒于官
梁材字大用其先大城人國初籍金吾右衛遂
世家南京材舉進士授德清知縣以廉介著稱入

爲刑部主事折獄明審曉律令諸所擬當皆麗於
情法逆瑾用事每以其意生殺人材據法力爭不
少屈晉郎中改監察御史出知嘉興府調杭州皆
有惠政而在杭尤著始至杭適歲饑告濟者前後
塞路材語云五日即發粟以賑時倉無儲積人皆
惑之材咨訪某鄉某人有粟若干斛皆得其實届
期材親至其家曰汝有粟若干當糶半以銀償之
即命賑其鄉人事完以報一日數處皆遍由是饑
民數萬即日皆得食無侵漁留難之弊遠近大服

陞浙江按察使以憂去服闋補雲南先是有土酋相仇殺御史屢勘未結將謀變材至曰是未可治以中國法乃以贖論土酋者大驚喜即聽命御史難其大輕材曰不爾則變矣後偵知夷果畜調兵閒無他故乃止尋轉貴州布政察廉以右副都御史巡撫江西召爲刑部左侍郎進戶部尚書總覈財賦裁抑冗費條奏十餘事會計爲清未幾致仕復以右侍郎間住後以戶部難其人仍以材任適遇考察京官

肅皇帝素知材清正命監部院考察凡黜陟進退材
議居多是歲刑部有獄不决者四事
上命掌刑部讞之俱得其情奏上
上喜之在職六年
上眷注甚厚加太子少保竟以忤權貴罷職其清慎
之操始終一致歸家甫兩月卒隆慶初　賜塋祭
贈太子太保謚端肅
王鑾字汝和其先吳江人　國初隸籍錦衣衛遂
家南京舉正德辛未進士試政吏部時流賊甫平

郡縣瘠瘝未復鑾恐兆後憂乃爲原治二篇大畧
論今之賊盜皆繇守令非令監司惟利趨承撫按
罔覈實效以至浸淫潰敗其彌盜根本則欲禁奢
立禮敦教化嚴貪墨太宰楊一清異之補文選主
事秉公持衡不與人交接尋以考功節益峻朝散
扃鐍自防人罕識其面晋驗封郎中
武皇南巡鑾上疏力諫廷杖致傷踰年卒士論惜之
陳沂字魯南鋼之子生而穎秀丰采照人五歲能
屬句十歲爲詩文驚動長老嘗著孔墨辨亦實山

賦人傳誦焉比長益博綜羣言爲文汪瀾雄偉有
蘇氏風時諸文人宦南都者咸相與倡和聲譽翕
然顧獨不能規規習逐時好暨正德丁丑始第于
春官在位者知沂有著述才改翰林庶吉士除編
修與修
毅皇帝實録甲申與編修鄒守益等及與修撰楊愼
再論大禮乙酉實録成進侍講每　經筵進說必
委曲寓規諷意
肅皇帝問宰執知其名又明年出爲江西參議督賦

諸郡民皆稱便庚寅進山東左叅政按沂莒滕費郡邑察其災荒發官帑市牛給民耕墾歲則大熟又爲蠲馬種薪木運布諸征凋瘵者稍獲甦息嘗按鉅野有郡盜謀劫縣沂偵知之即調兵掩捕盜驚散乃言于憲臣職兵者以爲不然居無何盜竟破縣去遂改山西太僕卿再疏乞歸築遂初齋杜門著述絶意人事沂詩宗盛唐文出入史漢晚益臻理奥所著有金陵圖考諸書傳世山東通志南畿志皆其筆削云

何遵字孟循其先吳江人　國初隸籍欽天監遂世家南京遵爲人任質不尚矯激之行居常吶吶然於世故泊如也因自號曰味淡初舉正德甲戌進士授工部主事督商稅荊州荊州故利府以墨敗者相繼遵處之若無與聲名起矣己卯返命

闕下

毅皇帝頻巡幸逆臣江彬者實導之始狩於近郊後遂歷上谷雲中諸邊至是有　詔除道將登封岱

宗遵與會浮江漢而上以禱于太嶽逆藩俟變禍

且莫測兵部郎中黄鞏修撰舒芬等暨遵先後進諫彬怒矯 詔下鞏等獄且以死脅言者遵不顧復上疏言鞏等無罪不宜誅諫臣語益剴切彬愈怒幷下遵于獄榜掠瀕死復罰跪廷杖逾三日竟死遵之將諫也貽書鄉人周金陳沂以親老爲託語不及私嘉靖初録遵忠贈尚寶司卿蔭一子爲
國子生

李逢暘字惟明 國初籍金吾後衞家南京舉隆慶戊辰進士授禮部主事署郎中以疾卒逢暘

幼端謹如成人羈貫知學即以古聖賢爲師法篤於踐履擇地而蹈居家庭間聲笑不苟雖盛暑恒整衣冠危坐終日無傾側容與人必誠意懇至人不忍欺亦不敢慢也視世沒溺財利惟恐汚之居郡學時京兆喻時延置家塾教其子逢暘以師道自重出入未嘗左顧見者肅然喻亦重之戊午舉于鄉喻寔薦之逢暘聞之弗善也絶不謁謝喻亦不介意人謂喻之推賢逢暘之自守蓋兩得云逢暘少自撿束以名節相砥礪嘗語所善者曰學校

風俗所關須厚自待世間兒曹態不足傚慕也願後來者勉之居官益捐瀞卒時年踰四十人咸惜其不究于用云

應天府志卷二十七終

應天府志卷二十八

人物傳三

吳唐固字子正句容人也父翔爲丹陽太守因家焉固修謹博通文史吳主權甚重之見固輙欽咨陸遜張溫駱統皆拜固甚爲名流宗尚如此黃武閒位僕射所著有國語公羊穀梁傳註時方尚攻伐謀勇而固獨以儒自業講授常數十人

晉葛洪字稚川句容人少好學家貧躬自伐薪以貿紙筆夜輙寫書誦習以儒學知名性寡欲無所愛

訛不知棋局幾道摴蒱齒名爲人木訥不好榮利閉門却掃未嘗交游於餘杭山見何幼道郭文舉自擊而已各無所言時或尋書問義不遠數千里崎嶇冒涉期於必得遂究覽典籍尤好神仙導養之法從祖玄以其術授弟子鄭隱洪就隱學悉得其法焉洪傳玄業兼綜練醫術凡所著撰皆精覈是非而才章富贍晉太安中石氷作亂吳興太守顧秘爲義軍都督與周玘等起兵討之秘檄洪爲將兵都尉攻氷別率破之遷伏波將軍氷平洪不論

功賞從至洛陽欲搜求異書以廣其學洪見天下已亂欲避地南土乃叅廣州刺史嵇含軍事及含遇害遂停南土多年征鎮檄命一無所就後還鄉里禮辟皆不赴元帝為丞相辟為掾以平賊功賜爵關內侯咸和初司徒導召補州主簿轉司徒掾遷諮議叅軍干寶深相親友薦洪才堪國史選為散騎常侍領著作洪固辭不就乃求為勾漏令帝以洪資高不許洪曰非欲為榮以有丹耳帝從之洪遂將子姪俱行至廣州刺史鄧嶽留不聽去洪

乃止羅浮山著書言黃白之事名曰内篇其餘駮
難通釋名曰外篇自號抱朴子因以名書其餘所
著碑誄詩賦百卷移檄章表三十卷神仙良吏隱
逸集異等傳各十卷又抄五經史漢百家之言方
技雜事三百一十卷金匱藥方一百卷肘後要急
方四卷洪博聞深洽江左絶倫著述篇章富於班
馬又精辯玄賾析理入微年八十一卒視其顔色
如生世以爲尸解得仙云

許謐句容人少以博學知名仕爲郡主簿王道蔡

謨辟從事皆不赴後官至散騎常侍

唐許叔牙字延基句容人貞觀時遷晉王府叅軍事弘文館直學士於詩禮尤邃獻詩纂義十篇御史大夫高智周見之曰欲明詩者宜先讀此子儒字文舉高宗特爲奉常博士長壽中歷天官侍郎弘文館學士封潁川縣男

大明孫炎字伯融句容人也身長七尺餘面如鐵色一足偏跛慷慨有奇志博學雄辯所交皆豪傑知名視世儒蔑如也

高皇帝既下江南聞炎名召見炎陳胡運將終勸
帝收攬俊傑與圖大業
帝善之每與謀多當
帝意者從下浙東擢知池州府未幾召爲省都事會
處州降命耿再成守之以炎爲總裁聽自辟掾吏
處州故賊衝環城壁塢相望不受約束炎匹馬入
城召州豪長跪堦下諭以順逆禍福曰吾生若無
自爲滅宗計皆叩頭流血誓不敢有二心由是轉
相告語孫使君仁武降者屬路炎乃擇精銳爲兵

即命其豪統之無事皆遣歸農寇來以符召立至時天下擾亂賢者多隱匿不肯出炎訪其名以書招之青田劉基最知名使者再往不出炎爲書數千言陳天時人事劉不荅無何就見炎炎置酒與語論古今成敗詞辨鋒起劉乃歎服曰吾始自以爲勝先生今見先生遠矣苗將賀仁德李祐之叛襲炎城中與合勢置炎幽空窖中脅之降炎不屈乃以酒饋炎曰以此與公訣炎引滿仰天嘆曰嗟乎丈夫乃爲鼠輩擒乎飲酒自若卒使解衣炎大

罵曰此紫綺裘吾君所賜當服之以死遂見害後追封丹陽縣男處州歲時祀之

曹義字子宜句容人永樂乙未進士授翰林編修官至南京吏部尚書乞致仕平生端謹至屬纊猶蕭然卒賜祭葬

戴仁字以德句容人成化丙戌進士太常博士拜御史督北直隸學修行立政當時稱之

淩傅字汝鄰句容人舉鄉貢以文名授象山知縣興學愛民嘗築堤障水民得粒食卒于官民哀慟

若輿考妣立祠祀之

（宋）李華字君儀溧陽人父没哀毁如禮母復攖廢疾華侍藥衣不解帶者十餘年有田十餘頃歲先輸官穀貴則減價以糶大觀政和間邑數蝗田獨不害人以爲異子朝正紹興中知溧水有異政葉夢得薦於朝賜對轉官賜五品服陛辭乞易所得章服封母從之

（大明）俁斯溧陽人吳元年以故官子徵起授尚寶司丞兩使高麗知河南府罷官吏部尚書

宋俞㮚字祗若溧水人初授承事郎轉起居舍人給事中極論蔡京誤國謫知潤州改襄陽府鹿門寺有田千頃歲收租萬斛皆以供僧酒食費㮚奏入官助軍儲一年召赴闕言官吏不率職願戒諭三省選擇監司俾表率州縣徽宗嘉其言賜紫金魚袋再試給事中言學校之政頗見施行除御史中丞又論户部尚書劉炳忤京意改翰林學士遷兵部尚書在朝遇事輒盡言帝每嘉納竟以毀紹聖法安置太平州未幾復述古殿學士知江寧府子

孫後多顯者

魏良臣字道弼溧水人少游郡學聞母病亟歸刲股以進里中稱孝初第進士即詣闕訟陳東冤天下高其義調嚴州壽昌令以治最聞召對遷吏部員外郎金虜犯高郵擇使講和高宗曰魏良臣有氣節可屬大事遣詣虜行成而歸會廷議不恊丐祠閑廢累年高宗念其勞復除禮部郎官秦檜當國欲畀以言職力辭適金虜渝盟擢吏部侍郎奉使兀朮擁精銳懼之良臣辭氣不懾請覲國書曰

分淮畫守矜議也今欲界長江非使臣所敢知執
論久之得從矜約檜㫖出知滁廬二州後檜死召
拜叅知政事首請出衣冠之囚歸蠻瘴之寃遂特
起淹抑詔追無虛日時軍政廢弛乃核軍實禁工
後罷敓買觀聽一新竟以群邪側目歷澶洪二州
卒

吳枽勝字勝之溧水人舉進士第授嘉興教授浙
西使者黃灝委以荒政多所全活御史湯碩核其
擅放田租且主朱熹之學不可爲人師攺贑縣尉

韓侂胄用事黨禁甚厲柔勝獨與楊萬講學不輟人以此服之時謫官嶺南者多歿扵瘴還過贛妻孥率流落可憫柔勝乃置廣惠館括閑田所入待之提點刑獄司辟爲屬獲盜當改官柔勝曰豈忍以人命博一官丐祠歸嘉定初授國子正廷對切直皆人所難言者未幾知隨州時議和邊將恐以生事獲罪塞下有干北境者無輕重輒殺之郡人梁皋被北人盜馬追之以弓矢相拒郡下七人扵獄柔勝立破械出之隨經兵火柔勝罷科歛寬逋

負奬忠義褒死節隨人大恍築隨及棗陽二城招四方勇敢立忠勇軍金虜敗盟圍棗陽三月不拔而退諸郡賴之改池州兼知鄂州值歲饑活人甚衆復改太平州鄂人遮道泣留治太平一年上章請老除秘閣修撰卒柔勝天性孝友與彭龜年楊簡袁燮相師友每以行事至否爲學力淺深之驗嘗曰士以大節爲本大節苟虧他美莫贖故惟黨禍十餘年不變其操贈觀文殿大學士太師魏國公謚正肅子四源泳俱補迪功郎淵潛自有傳

吳淵字道父柔勝子端重寡言苦志力學五歲喪母哀泣如成人舉進士調建德主簿史彌遠館留之語竟日大悅曰君方爲國器欲以開化尉屬君淵曰甫得一官何敢躁進彌遠改容禮之不復強至官嚴幹有聲江東九郡冤獄咸訴使者乞送淵申雪改差浙東制置使幹辦公事丁父憂詔起復力辭不允再辭且貽書政府力言其非時史嵩之方奪情或曰得無碍時宰乎淵不顧詔從之服闋累官寶章閣學士知太平州兼江東轉運使兩淮

民流徙入境者四十餘萬淵亟爲優恤使主客相
什伍無敢犯由是獨獲濟以功加華文閣直學士
工部尚書改知隆興府兼安撫轉運副使歲大侵
講行荒政全活者七十八萬尋知鎮江復以毋憂
去職服闋提舉南康節制蘄黃等處峒寇擾亂攻
破數縣淵叩將擒其渠酋亂平遷兵部尚書知平
江府兼浙西兩淮發運使歲亦大侵淵在鎮江幷
令所全活復不下數十萬進端明殿學士沿江制
置使江東安撫使兼知建康行宮留守節制和無

爲安慶三郡屯田使朝廷付淵以光豐蘄黃廼剏三大砦二十二小砦團丁壯分隊伍星聯棊布暇則耕有寇則戰屹然爲一方保障詔嘉其功拜資政殿大學士與執政恩例封金陵侯復進爵爲公寶祐五年拜參知政事卒贈少師謚莊敏淵有材畧尚氣節所至興學養士然嚴明太過其弟潛亦數諫止之所著有易解及退庵文集奏議

吳潛字毅夫淵弟舉進士第一授簽鎮東軍節度判官紹定四年都城大火潛上疏累千言勸理宗

盡修省之實閹宦之竊弄威福者勿親女寵之根
萌禍患者勿昵收召賢哲選用忠良貪殘者屛回
邪者斥毋竝進君子小人以爲包荒毋兼容邪說
正論以爲皇極庶幾彌災爲祥易亂爲治又貽書
史彌遠論六事一曰格君心二曰節俸給三曰賑
恤都民四曰用廉潔老成之人五曰用良將以禦
外患六曰革吏弊以新治道授寶章閣浙東提舉
常平辭不赴遷太府少卿淮西總領又告執政論
用兵復河南不可輕易金虜既滅則與北狄爲鄰

法當以和爲形以守爲實以戰爲應六年除太府卿兼權置守安撫使知建康府首奏以趲剩事例幷諸司問遺例册錢代納江東一路折帛次論金虜興亡本末甲午和戰非宜又論進取有甚難者三事後皆如其言除秘閣修撰權江西轉運副使兼知隆興府奏言諸郡兵荒已將紹定六年以前官物住催乞下本路一體蠲閣論每田一畝出官會一貫其害有九復屢論計畝納錢和戰成敗大計裒宜急救倫不可闕乞養宗子以繫國本皆切

時務理宗頗嘉納之以臺臣徐榮叟論列授寳謨
閣學士知紹興浙東安撫使尋召同知樞密院兼
參知政事入對言國家之不能無弊猶人之不能
無病今日之病不但倉扁望之而驚庸醫亦望而
驚願陛下篤任元老以爲醫師博采衆益以爲醫
工使臣輩得以効牛溲馬勃之助淳祐十一年參
大政拜右相兼樞密使明年以水灾乞解機務以
觀文殿大學士提舉洞霄宫又四年授沿海制置
大使判慶元府條具軍民久遠之計達于政府奏

皆行之又以餘錢代民輸前後所蠲五百四十九
萬以久任丐祠且累章乞歸進爵崇國公判寧國
府還家又召拜左丞相會元兵渡江攻鄂州別將
由大理下交趾破廣西湖南諸郡潛上章言奸臣
誤國又論丁大全沈炎等罪乞罷黜不報屬將立
度宗爲太子潛密奏云臣無彌遠之材忠王無陛
下之福帝怒卒爲沈炎所論落職責授化州團練
使循州安置潛預知死日語人曰吾將死矣夜必
風雷大作已而果然時景定三年五月也德祐元

年追復元官潛平生篤義有經濟大志喪妻時未
三十不再娶不畜婢媵立朝忠亮剛直議事皆出
于正惜用之弗究云

(大明)齊泰溧水人初名德洪武二十年鄉貢明年舉
進士歷禮兵部主事會雷震謹身殿
太祖禱郊廟泰以官九年無過得陪祀賜名泰三十
年陞兵部左侍郎明年進本部尚書
上嘗召泰問邊將姓名泰歷數無遺又問諸圖籍泰
出袖中手冊進簡要詳密

上大奇泰是年閏五月受
顧命輔皇太孫時諸王皆尊屬擁重兵專制地燠勢
逼詔諸王臨邸中毋奔喪王國所在吏民悉聽朝
廷節制詔下諸王不悅謂此齊尚書間我也
成祖時自燕入臨至淮安泰言上急出勅符勒歸國
又與大常卿黄子澄建策凡親王罪輙除國泰欲
先圖燕黄子澄不可建文元年北兵起泰專主籌
畫命将出師建文君日召學士董討論周官法度
處便殿天柔翰詔閫外事一付泰泰遂移檄指斥

削屬籍北兵以誅泰為名疏請發奸臣齊泰黃子澄等與臣訊究時尚遣諸王督監諸軍泰以谷王穗漏師遁還又慮遼寧二王近燕為變皆召還遼王至寧王竟不至使李景隆將兵北伐泰極言其不可任三年北兵月進逼淮泗謫泰與子澄官求解兵李景隆書予燕謂齊黃屏竄遐荒可息兵歸藩

成祖曰此緩我也不聽進兵益急尋召泰未及還金川門開建文君遜去泰追至廣德欲往他郡起兵

與復被執見
成祖不屈死之籍九族故居爲舖舍人稱爲尚書舖
云
仁宗時泰等宗黨皆得赦給還田土嘉靖中知縣謝
廷蒞爲祠祀泰
丁沂字宗魯溧水人弘治壬戌進士授南京刑部
主事歷郎中門無私謁獄無怨辭擢湖廣按察僉
事董造
榮府常德之民賴以不擾賑湖湘饑全活甚多進浙

江副使嘗治水田賦獲利轉叅政至布政都御史
所在吏畏民懷卒于蜀
宋張邵字才彥烏江人籍之六代孫也登宣和三年
上舍第建炎元年爲衢州司刑曹事會詔求直言
邵上疏曰有中原之形勢有東南之形勢今縱未
能遽爭中原宜進都金陵因江淮蜀漢閩廣之資
以圖恢復不應退自削弱三年金人南侵詔求可
至軍前者邵慨然請行轉五官直龍圖閣假禮部
尚書充通問使武臣楊憲副之即日就道至濰州

接伴使置酒張樂邵曰二帝北遷邵爲臣子所不忍聽請止樂至于三四聞者泣下翌日見左監軍撻覽命邵拜邵曰監軍與邵爲南北朝從臣無相拜禮且以書抵之曰兵不在強弱在曲直宣和以來我非無兵也帥臣初開邊隙謀臣復啓兵端是以大國能勝之厥後僞楚僭立群盜蠭起曾幾何時電掃無餘是天意人心未厭宋德也今大國復裂地以封劉豫窮兵不已曲有在矣撻覽怒取國書去執邵送密州因于祚山砦明年又送邵于劉

豫使用之邵見劉豫長揖而已又呼爲殿院責以君臣大義詞氣俱厲豫怒械置于獄楊憲遂降豫知邵不屈久之復送于金拘之燕山僧寺從者皆莫知所之後又作書爲金言劉豫挾大國之勢日夜南侵不勝則首鼠兩端勝則如養鷹飽則颺去終非大國之利守者容以告金取其書去益北徙之會寧府距燕三千里金嘗大赦許宋使者自便還鄉人人多占籍淮北其卑稍南惟邵與洪皓朱弁言家在江南十三年和議成及皓弁南歸八月

入見奏前後使者如陳過庭司馬朴滕茂實崔縱
魏行可皆歿異域未褒贈者乞早頒恤典邵亦携
崔縱柩歸其家陞秘閣修撰主管佑神觀左司諫
詹大方論其奉使無成改台州崇道觀移書時相
勸其迎請欽宗與諸王后妃十九年以敷文閣待
制提舉江州太平興國宮知池州再奉祠卒邵負
氣遇事慷慨常以功名自許出使囚徙屢瀕於死
其在會寧金人多從之學後弟郁下大理獄將株
連邵檜死得免有文集十卷子孝覽孝曾孝忠孝

曾後亦以出使歿[illegible] 金金人知爲邵子尚憐之孝
忠登隆興元年第官至朝奉大夫直寶謨閣知金
州事兼制司參議賜金紫魚袋
張孝伯邵從子登隆興元年第淳熙九年任江寧
知縣訪求民瘼奏停年租額外徵辦大水民饑詔
賑卹建康之被水者孝伯爲經理皆得其所累遷
參知政事未幾罷時韓侂胄當國孝伯勸弛僞學
禁復故相趙汝愚官一時賢人貶斥者得漸還故
職

張孝祥字安國孝伯從弟以孝廉稱讀書一過目不忘下筆頃刻數千言紹興二十四年廷試第一時策問師友淵源秦塤與曹冠皆力攻程氏専門之學孝祥獨不攻考官已定塤冠多士孝祥次之冠又次之高宗讀塤策皆檜語於是擢孝祥第一而塤第三授承事郎簽書鎮東軍節度判官諭宰相曰張孝祥詞翰俱美先是帝之抑塤而擢孝祥也秦檜已怒既知孝祥乃祁之子祁與胡寅厚檜素憾寅且唱第後曹泳揖孝祥于殿庭請婚孝祥

不吝沬慼之於是諷言者誣祁有反謀繫詔獄會檜死上郊祀之二日魏良臣密奏散獄釋罪遂以孝祥爲秘書省正字故事殿試第一人次舉始召孝祥第甫一年得召由此初對首言乞總攬權綱以盡更化之美又言官吏忤故相意並緣文致有司觀望鍛鍊成罪乞令有司改正又言王安石作日錄一時政事美則歸已乞詳正黜私說以垂無窮從之遷校書郎芝生太廟孝祥獻芝原以大本未立爲言且言芝在仁宗英宗之室天意可見乞

早定大計遷尚書禮部員外郎尋爲起居舍人權中書舍人以論罷提舉江州太平興國宮尋除知撫州年未三十蒞事精確老於州縣者所不及孝宗即位復集英殿修撰知平江府事繁劇孝祥剖決庭無滯訟屬邑大姓並海囊槖爲姦利孝祥捕治籍其家得穀粟數萬明年吳中大饑賴以濟張浚自蜀還朝薦孝祥召對乃陳二相當同心戮力以副陛下恢復之志且靖康以來惟和戰兩言遺無窮禍要先立自治之策以應之復言用才之路

太狹乞慱采度外之士以備緩急之用帝嘉之除中書舍人尋除直學士院兼都督府叅贊軍事俄兼領建康留守除敷文閣待制留守如舊金再犯邊孝祥陳金之勢不過欲要盟宣諭使劾孝祥落職復集賢殿修撰知靜江府廣南西路經畧安撫使治有聲績再落職俄起知潭州爲政簡易時濟以威湖南遂以無事復待制徙知荊南湖北路安撫使築守金隄自是荊州無水患置萬盈倉以儲諸漕之運請祠以疾卒年三十八孝宗惜之有用

才不盡之歎孝祥俊逸文章過人最工翰墨嘗親書奏劄高宗見之曰必將名世且蚤負才畯蒞政揚聲史臣尤嘆息焉

大明張瑄字廷璽江浦人正統壬戌進士遷吉安知府有治蹟擢廣東布政累官至南京刑部尚書賦性仁厚每讞獄惴惴恐入人罪鄉里有犯惟正其罪而不加朴年七十有一致仕

王徽字尚文江浦人以戎籍入府學天順庚辰進士授南京刑科給事中疏上五事極言古今宦監

之害因言牛玉冊 后一事致累
聖德因及大臣失職大觸時忌乃出謫晉安判官滿
考遂歸不仕弘治初數論薦起爲陝西布政司叅
議逾年乞休致歸杜門不出公卿過從不荅卒年
八十有三子韋字欽佩乙丑進士改庶吉士以親
老乞爲南部主事擢河南按察副使督學政凡請
託一切謝絕有被黜者則深自引咎士論歸之擢
南京太僕少卿時居毋憂且病竟卒
莊杲字孔暘江浦人舉進士授翰林檢討與羅倫

陳獻章友未幾同編修章懋黄仲昭上培養君德疏遂謫桂陽州判官給事中毛弘御史陳壯論救改南京行人司副久之以艱去不起居定山垂三十年以薦召用巡撫何鑑入定山勸起之謁部長揖尚書耿裕優禮之大學士徐溥謂當復昶翰林丘濬沮之仍司副遷南驗封郎中得風疾明年乞告輒歸又明年猶以病罷時還山已歲餘云所著有定山集昶豪邁胸中多奇蚤著直聲以道自任持身慕伊川矩度接人慕明道和氣晚乃應召而

出非其物志云

(晋)王鑒字茂高堂邑人少以文筆著稱初爲晋元帝琅琊國侍郎時杜弢作逆鑒上疏勸帝親征詞旨剴切帝深納之即命中外戒嚴會弢平乃止中興建拜都尉奉朝請出補永興令大將軍王敦請爲記室叅軍未就而卒時年四十一有文集行於世

(唐)陳融六合人幼有至性奉親以孝友聞與人言若不出諸口尤以禮法自檢其遊止皆有常處鄉人無賢不肖皆敬之不樂仕進閉門誦讀博洽爲當

世最

天明黃宏字德裕六合人弘治壬戌進士任萬安知縣擢户部主事以便養改南京刑部進祠祭郎中轉江西叅議九江盜起凌閔之黨甚熾閧宏往走西山實攝寧濠上世之墓莫敢兵也宏襲之夜遁擒其孥明年濠舉兵率群盜以叛先陳壽宴兩院三司畢至明日期往謁首殺都御史孫燧按察副使許逵一時迫脅者多得釋宏不服以手械向柱蹙項死之暴其屍數日逆黨劉養正請具棺後濠

誅贈宏太常少卿祀于旌忠祠

論曰秦漢三代而上章縫儒碩英偉奇特之士大抵皆齊晉產也迺江南士獨亡可與比數其故何哉當時風傳鄒魯之學戎兵介冑馳騖秦晉之郊而此地越在遐服則泯沒而無聞者未必無之也自孫吳來史傳稍有可紀嗣後王謝諸賢風雅相扇一時江左人士莫不含靈吐奇崇功立業熾熾然矣而諸志乃不載之抑又何哉夫蜀之蹲鴟楚之丹堊猶以爲美而況貢生於斯鍾山川之秀者

乎余於志中備而録之云

應天府志卷二十八終

應天府志卷二十九

勳封傳

綏猷以文戡亂以武文武並用國迺長久糾糾虎臣秉鉞臨戎奉行天討靖此妖氛作勳封傳

漢史崇字伯勤杜陵人建武中累官青冀二州刺史封溧陽縣侯天下既平詔公侯皆就封崇治尚寬簡不威而化卒謚壯侯因家溧陽子顥孫茅世其爵茅除尚書遷侍中轉鎮西將軍雍州牧字治寬猛適宜時人德之謚曰頃茅二傳至鉉改封蘭山

侯裔孫嵩韶仕吳俱有功嵩爲平越中郎將蒼梧鬱林太守封撫陵侯韶爲交州屬國都尉封陽羨侯淵諒憲皆仕晉淵歷尚書左民郎江陽太守封秭縣侯諒爲琅琊王主簿以討蘇峻功封常安侯憲官建安太守封山陰侯唐有溧陽侯淨滋亦其後也淨滋弟務滋纍官司賓卿景龍四年授侍中封溧陽男天授初進拜納言武后使務滋等十人分行天下詔與來俊臣雜治刺史劉行實反狀俊臣誣務滋與同善掩其情命俊臣并治之遂自殺

杭徐字伯徐丹陽人以膽智稱初試守宣城長悉移深林遠藪椎髻鳥語之人置於縣下由是境內無復盜賊後爲中郎將宗資別部司馬擊太山賊公孫舉等破平之斬首三千餘級封烏程東鄉侯遷太山都尉寇盜望風奔亡及遷長沙太守宿賊皆平卒於官桓帝下詔增封千戶

陶謙字恭祖丹陽人少好學爲諸生性剛直有大節舉茂才察孝廉拜尚書郎除舒令在官清白與郡守張磐構隙卒無以糾舉祠靈星有羸錢五百

欲以汚之乃委官去復除盧令遷幽州刺史徵拜
議即參車騎張溫軍事西討韓遂邊章譙輕溫及
軍罷還百僚高會溫屬譙行酒譙衆辱溫溫捘之
於邉或說溫曰陶恭祖本以材略見重于公一朝
以醉酒過失不蒙容貸四方人士安所歸望不如
釋憾除恨克復初分於以遠聞德美溫然其言乃
追還譙譙至或又謂譙曰足下輕辱三公罪自己
作今宜降志卑辭以謝之譙曰諾又謂溫曰陶恭
祖深自罪責謝天子禮畢必詣公門公宜見之以

慰其意時温于宮門見謙謙仰曰謙自謂朝廷豈
爲公耶温曰恭祖痴病尚未除耶遂爲置酒待之
如初會徐州黄巾起以謙爲刺史討黄巾大破走
之境内晏然時董卓雖誅而李傕郭汜作亂四方
斷絶謙每遣使閒行奉貢西京詔遷爲徐州牧加
安東将軍封溧陽侯流民多歸之而謙信任非人
殺下邳闕宣而并其衆初曹操父嵩辟難琅琊時
謙别将守陰平士卒利嵩財寶遂襲殺之操歸咎
於謙欲伐之而畏其彊乃表請罷州郡兵謙上書

曰臣聞懷遠柔服非德不集克難平亂非兵不濟臣前初以黃巾亂治受策長驅匪遑啓處雖憲章勑戒奉宣威靈敬行天誅每伐輒克然妖寇類衆殊不畏死父兄殲殪子弟群起屯結連兵至今爲患若承命解甲弱國日虛釋武備以資亂損官威以益寇今月兵罷明日難必至上忝朝廷寵授之本下令群凶日月滋蔓非所以強幹弱枝遏惡止亂之務也臣雖愚昧忠恕不昭抱恩念報所不忍行輒勒部曲申令警備出芟強寇維力是視入宣

德澤躬奉職事冀效微勞以贖罪負操得書知不罷兵初平四年擊讓破彭城傅陽讓退保郯操攻之不能克乃還過拔取慮睢陵夏丘皆屠之三輔百姓依讓者皆殲興平元年操復擊讓略定琅琊東海諸縣讓懼不免欲走歸丹陽會呂布據兗州操還擊布是歲讓病卒

（吳）陶璜字世英秣陵人也父基交州刺史璜少歷顯位會交州亂晉遣南中監軍霍弋犍爲楊稷與將軍毛炅九真太守董元等自蜀出交趾璜爲蒼梧

太守拒戰敗于分水亡二将大都督薛翊怒謂璜曰君自表討賊而丧二帥其責安在璜曰下官不得行意諸軍不相順故致敗耳翊怒欲引軍還璜夜以數百兵襲董元獲其寳物船載而歸翊乃謝之以璜領交州爲前部督璜從海道出徑至交阯元距之諸将將戰璜疑斷牆内有伏兵列長戟於其後兵纔接元僞退璜追之伏兵果出長戟逆之大破元等元有勇将解系在城内璜誘其弟象使爲書與系又使象乘璜軺車鼓吹導從而行元等

臼解象若此系必有去志乃就殺之璜遂克交阯因用璜爲交州刺史初霍弋命稷炅等守交阯與之誓曰若賊圍城未百日而降者家屬誅若過百日救兵不至吾受其罪稷等守未百日糧盡乞降璜不許給其糧使守諸將並諫璜曰霍弋巳死不能救稷等必矣可須其日滿然後受降使彼得無罪我受有義內訓百姓外懷鄰國不亦可乎稷等期訖糧盡救兵不至乃納之吳主以璜持節都督交州諸軍事武平九德新昌土地阻險夷獠勁悍

歷世不賓璜征討開置三郡及九真屬國三十餘縣徵璜爲武昌郡督吳既滅璜流涕數日遣使送印綬詣洛陽詔復其本職封宛陵侯在南三十年威恩著于殊俗及卒舉州號哭

晉陶回璜從子司徒王導引爲從事中郎遷司馬蘇峻之役回與孔坦言於導請早出兵守江口峻將至回復謂亮曰峻知石頭有重戍不敢直下必向小丹陽南道步來宜伏兵要之可一戰而擒亮不從峻果由小丹陽經秣陵迷失道夜行無復部分

亮聞之深悔不從囬之言尋王師敗績囬還邑收合義軍得千餘人與陶侃溫嶠等并力攻峻又別破韓晃以功封康樂伯時大賊新平綱維弛廢導以囬有器幹擢補北軍中候俄轉中護軍吳興太守時人饑穀貴囬不待報輙便開倉及割府郡軍資數萬斛米以救乏絕由是一境獲全既而下詔并勑會稽吳郡依囬振恤二郡賴之在郡四年徵拜領軍將軍加散騎常侍征虜將軍如故囬性雅正不憚彊禦與丹陽尹桓景佞事王導甚爲道所昵

田常慷慨謂景非正人不宜親狎會熒惑守南斗經旬導語田曰南斗揚州分爲熒惑守之吾當遜位以厭此謫田答曰公以明德作相輔弼聖主當親忠貞遠邪佞而與桓景造膝熒惑何由退舍導深愧之咸和二年以疾辭職不許徙護軍將軍常侍領軍如故未拜卒謚曰成

（南北朝）吳明徹字通昭秦郡人也幼有至性父樹卒貧無以葬乃勤力耕種時旱苗稼枯明徹每之田中號泣仰天自訴居數日苗更生秋竟大穫足充

楚用起家梁東宮直侯景亂明徹有粟麥三千餘
斛而隣里饑餒乃白諸兄曰當今草竊人不圖久
奈何有此而不與鄉家共之於是計口平分同其
豐儉郡盜聞而避焉賴以存活者甚衆梁紹泰中
討杜龕張彪等東道平授南兗州刺史封安吳縣
侯陳文帝天嘉三年周迪反臨川詔以明徹爲安
南將軍總督衆軍討迪尋授鎮前將軍五年遷鎮
東將軍吳興太守及引辭之郡文帝謂曰吳興雖
郡帝鄉之重故以相授君其勉之臨海王即位授

領軍將軍尋遷丹陽尹華皎陰有異志詔明徹等率兵討皎授開府儀同三司進爵爲公大建初議北伐公卿互有異同明徹決策請行統衆十餘萬發建康緣江城鎮相續降欵軍至秦郡克其水柵齊遣尉破胡將兵爲援明徹破走之斬獲不可勝計秦郡降宣帝以秦郡明徹舊邑詔具太牢令拜祠上冢文武羽儀甚都鄉里以爲榮進克仁州授征北大將軍進爵南平郡公次平峽石岸二城進逼壽陽齊遣王琳將兵拒守琳至與刺史王貴顯

保其外郭明徹以琳初入衆心未附乘夜攻之中
宵而潰齊兵退據相國城及金城明徹令軍中益
修治攻具又迮淝水以灌城齊遣皮景和率兵數
十萬來援去壽春三十里頓軍不進諸將咸曰堅
城未拔大援在近不審明公計安出明徹曰兵貴
在速而彼結營不進自挫其鋒吾知其不敢戰也
於是躬擐甲冑四面疾攻城中震恐一鼓而克生
禽王琳王貴顯等景和遁盡收其駞馬輜重詔遣
謁者蕭淳風就壽陽冊爲都督六州諸軍事車騎

大將軍明徹於城南設壇士卒二十萬陳旗鼓戈甲登壇拜受成禮而退將卒莫不踴躍六年自壽陽入朝宣帝幸其第七年進攻彭城軍至呂梁齊遣援兵前後至者數萬明徹又大破之八年進位司空會周氏滅齊將事徐兗九年詔明徹進軍北伐令其世子惠覺攝行州事明徹軍至呂梁周梁士彥率衆拒戰明徹頻破之因退兵守城不復敢出明徹仍迮清水以灌其城環列舟艦于城下攻之甚急周遣王軌將兵救之諸將議欲破堰拔軍

以舫載馬馬主裴子烈議曰若决堰下舡舡必傾倒豈可得乎不如前遣馬出於事爲允適明徹苦背疾甚篤遂從之乃遣蕭摩訶帥馬軍數千前還明徹仍自决其堰乘水勢以退軍冀獲濟及至清口水勢漸微舟艦並不得渡衆軍皆潰明徹尋憂憤遘疾卒

淳于量字思明其先濟北人世居建康父文成仕梁爲將帥量少善自居處有幹略便弓馬梁主繹爲荆州刺史文成分量人馬令往事焉起家湘東

王國常侍兼西中郎府中兵參軍兵甲士卒盛于
府中荊雍之界群蠻數反山帥文道期積為邊患
王僧辯征之不利遣量助之與僧辯併力大破道
期斬其酋長以功封廣晉縣男授涪陵太守侯景
之亂湘東王遣五軍入援量預其一臺城陷還荊
州侯景西上攻巴州湘東王使王僧辯入據巴陵
與量并力拒景大敗景軍擒其將任約進攻郢州
獲宋子仙仍隨僧辯克平侯景其後荊州陷量據
桂州王琳擁割湘郢累遣召量量外與琳合而別

遣使從間道歸朝陳主受禪授持節散騎常侍平西大將軍都督桂州刺史天嘉五年徵爲中撫大將軍量所部將帥多戀本土並欲逃入山谷不願入朝世祖使湘州刺史華皎以兵迎量天康元年至建康以在道淹留爲有司所奏華皎構逆以量爲使持節西討皎平并降周將長胡公拓拔定等以功進封醴陵縣公

大明楊洪字宗道六合人祖政漢中百戶洪嗣官調開平機變敏捷善用計出奇兵擣虛或夜劫營纍

功陞都指揮正統元年内臣韓政阮鵞疏洪短
上詰二内官曰此必小人左右汝即械至京姑貸汝
二人時洪頗爲衆忌　上又每舉洪功勵諸將洪
益自奮守邊屯營專用鐵蒺藜尋以都督守獨石
敗虜宣府大石門寶昌州捕虜阿台打刺花正統
十三年封昌平伯食禄千石充總兵鎮宣府虜畏
之呼楊王十四年虜入敗我土木　上皇道宣府
北狩去洪閉城門逮繫詔獄是年十月虜犯京師
出洪獄中自効洪與孫鏜范廣等率兵擊虜涿州

紫荆等處遂至固安大捷捕虜阿歸等進侯洪爲
將紀律嚴明將士用命敬愼自將不敢專殺宣德
正統景泰間稱名將也先之難奮不顧身一時諸
將功爲最景泰二年還鎮宣府卒贈潁國公謚武
襄子傑嗣侯言臣家一侯三都督諸蒼頭得官旗
者十六人乞停蒼頭職役許之未幾卒傑庶兄俊
嗣侯俊先以擒叛者喜寧功陞都督上言也先往
時酋長尚在東西諸番未附今既弑脫脫不花幷
其衆東自女直兀良哈野人西至蒙古赤斤哈密

皆受約束包藏禍心待時而動又聞其妻孥輜重在哈剌莽來去宣府纔數百里健人壯馬屯沙窩去邊尤近今大同宣府懷來遼東山海永平寧夏延綏甘凉莊浪等處宿兵不下數十萬臣愚以爲險阻之處量留守禦其餘壯勇各選老成謀略將官統率迤西悉赴代州迤東悉赴永平結營操練更選京營騎兵申令股肱大臣統率至大同宣府會合所在兵列營堅守爲正兵其永平營赴獨石代州營兵赴偏頭關一帶按伏爲奇兵部署既定

或拘絕虜使以激其怒或檄數叛逆以正其罪彼必來侵我正兵堅壁清野坐觀其變密遣奇兵日夜倍道擣其巢穴使彼前不敢進後不能顧必擒其妻孥獲其輜重彼或察知我謀急還相救我乘其奔潰奇兵夾擊立致摧敗此實戰攻取勝之機抑臣又聞三軍之害猶豫最甚昔在有宋澶淵之役若從寇準之議必無靖康之悔今若間以群疑失今不治臣恐他日之患又有甚於今日者臣一家父子兄弟受恩實深馬革裹屍固其分也事下

總督總兵及營中諸將校議少保于謙言未便遂止先是遣俊及劉深充遊擊將軍出宣府經略獨石諸城堡參贊參政葉盛言俊往守獨石所謂敗軍之將乞追深罷俊遂令俊護瓦刺使人出塞會傑卒遂嗣父侯洪從子能信別有傳

楊能字文敬世襲指揮使己巳之變拔爲將驍雄善戰有功歷督府同知景泰初總兵鎮宣府與李秉共事天順元年歷都督仍充總兵鎮宣府援大同有功遂封武強伯食祿千石四年卒無子父

林乞以能弟倫嗣伯得世指揮使
楊信字文實幼武勇正統初從征興州虜轉戰
西涼亭白塔兒斬首功累陞指揮僉事十四年薦
陞都指揮僉事守紫荊堡戰虜紫荊倒馬五郎河
有功景泰二年出宣府歷陞督府僉事充參將再
守懷來會洪病移信協守宣府五年充副總兵天
順元年召還京陞同知移鎮延綏明年虜孛來毛
里孩入塞擊退又明年虜入寧夏塞信合武平伯
陳友兵於安邊營夾擊虜遁去四年封彰武伯食

祿千石與世券五年移鎮大同成化二年毛里孩入河套出沒塞上召信至京問方略信言兵難遙度乞精騎疾走至榆林圖上

上從信言命爲平虜將軍總諸鎮兵至延綏嚴烽火謹斥堠虜不得入覘虛實忽突入塞信縱兵遊擊小龍州鐵青原虜錯愕盡棄人畜遁渡河去明年還鎮大同六年虜又入延綏信西援信曰虜覘我大同兵渡河必乘虛東掠設伏胡柴溝虜果至伏發擊斬獲功多八年又敗虜伯顏哈答自是虜不

敢輒入塞與世伯券十三年卒贈侯謚武毅

論曰古者文武一揆非有二術後世士鮮通才其超乘投距踶跅不羈之材乃獨以武稱亦異乎東山繡裳之師矣夫不遇則爲椎埋屠狗之雄及一旦際會風雲出奇奮智殫能安定國家身名俱泰斯亦不足尚哉

應天府志卷三十

一行傳

人含五靈戴圓履方惟孝與義是維天常孝以明親義以立節嗟其尚矣名其可滅作一行傳

吳 沈瑩丹陽太守晉伐吳後主皓使張悌督瑩及護軍孫震副軍師諸葛靚帥衆三萬渡江逆之至牛渚瑩曰晉治水軍於蜀久矣今傾國大舉必悉益州之衆浮江而下我上流諸軍無有戒備名將皆死幼少當任恐邊江諸城莫能禦也晉之水軍必

至於此矣宜畜衆力待來一戰若勝之江西自清上方雖壞可還取之今渡江逆戰勝不可保若或摧喪則大事去矣悌曰吳之將亡賢愚所知非今日也吾恐蜀兵來至衆心必駭懼不可復整今宜渡江決戰若其敗喪則同死社稷無所復恨若其克勝則北敵奔走兵勢萬倍便當乘威南上逆之中道不憂不破若如子計恐行散盡相與坐待敵至君臣俱降無復一人死難者不亦辱乎遂渡江戰吳軍大敗瑩與悌震皆爲晉軍所殺

晉羊曼字祖延南城人少知名蘇峻作亂加前將軍丹陽尹率文武守雲龍門王師不振或勸曼避峻曼曰朝廷破敗吾安所求生勒衆不動爲峻所害年五十五

南北朝劉秉字彥節宋宗室也少有才俊朝野推譽之泰始初爲丹陽尹時蕭道成專政將圖篡逆秉與袁粲等謀誅之不克與二子承俁並遇害

宋潘振任溧水縣尉建炎三年十一月金虜犯建康遂陷溧水振死之

趙壘之建炎中爲上元丞金人過江諸將兵皆引去壘之帥鄉兵迎敵死之贈奉議郎

程克巳德興人嘉熙初任六合縣尉蒙古兵犯境克巳及其次子附鳳俱死事聞贈克巳階朝奉附鳳爲淮西運司幹辦官

葛秉德祐元年知句容縣事元伯顏陷建康招諭句容秉兵敗自繫于獄遂被殺

程洙休寧人德祐初任上元主簿建康陷百官投牒降元洙曰吾受宋恩今爲降虜乎自經而死

（晉）樂道融丹陽人少有大志好學不倦每約己周給有國士之風爲王敦叅軍敦將圖逆以告卓卓以爲不可遲留不赴敦遣道融召之道融雖爲敦佐忿其逆節因說卓曰主上躬統萬機非專任劉隗今慮七國之禍故削湘州以弱諸侯而王氏擅權日久卒見分政便謂被奪耳王敦背恩肆逆舉兵伐主國家待君至厚今若同之豈不負義生爲逆臣死爲愚鬼永成宗黨之恥邪君當僞許應命而馳襲武昌敦衆聞之必不戰自散大勳可就矣

卓大懼之乃與巴東監軍柳純等露檄陳敦過逆率所統致討又遣齎表詣臺卓性不果決且年老多疑遂待諸方同進出軍稽遲至豬口敦聞卓已下兵卓兄子印時爲敦參軍使印求和於卓令其旋軍卓信之將旋主簿鄧騫與道融勸卓曰將軍起義兵而中廢爲敗軍之將竊爲將軍不取今將軍之下士卒各求其利一旦而還恐不可得也卓不從道融晝夜涕泣諫卓憂憤而死

王諒字幼成丹陽人也少有幹略王敦擢參府事

稍遷武昌太守初新昌太守梁碩專威交土迎立陶咸爲刺史咸卒王敦以王機爲刺史碩發兵距機自領交趾太守乃逆前刺史修則子湛行州事永興三年敦以諒爲交州刺史諒將之任敦謂曰修湛梁碩皆國賊也卿至便收斬之諒既到境湛退還九真廣州刺史陶侃遣人誘湛來詣諒所諒勅從人不得入閤既前執之碩時在坐曰湛故州將之子有罪可遣不足殺也諒不從即斬之碩怒而出諒陰謀誅碩使客刺之弗克碩遂率衆圍諒

於龍編陶侃遣軍救之未至而諒敗碩逼諒奪其節諒固執不與遂斷諒右臂諒正色曰死且不畏臂斷何有十餘日憤恚而卒

（南北朝）張約之秦郡人嘗為吉陽令徐羨之等謀廢立以次當及廬陵王義真乃議先廢義真為庶人約之憤惋上疏切諫徙梁州府參軍見殺論者謂有田延年之風元嘉三年詔褒其義烈

陶子鏘字海育秣陵人父延尚書比部郎兄尚宋末為倖臣所怨被繫子鏘公私緣訴流血稽顙行

路嗟傷逢謝超宗下車相訪回詣建康令勞彥遠
曰豈恐見人昆季如此而不留心勞感之兄乃得
釋母終居喪盡禮與范雲隣雲每聞其哭聲必動
容改色欲相申薦會雲卒初子鉼母嗜蓴母没後
常以供奠梁武初至此年冬營蓴不得子鉼痛恨
慟哭而絶久之乃穌遂長斷蓴味
庾沙彌潁陰人也寓居金陵嫡母劉氏寢疾沙彌
晨昏侍側及母亡晝夜號慟隣人不忍聞墓在新
林因有旅松百餘株自生墳側族兄都官尚書詠

表言其狀應純孝之舉梁武召見嘉之以補歙令
隨府會稽復丁所生母憂喪還都濟淅江中流遇
風舫將覆沒沙彌抱柩號哭俄而風靜盖孝感所
致

劉訏字彥度平原人寓居金陵幼稱純孝數歲父
母繼卒訏居喪哭泣孺慕幾至滅性赴弔者莫不
傷焉與族兄歊聽講於鍾山諸寺因共卜築宋熙
寺東澗

江紑字含潔考城人居金陵父蒨光祿大夫患眼

經侍疾將朞月衣不解帶夜夢一僧云患眼者飲慧眼水必差及覺說之莫能解者緣第三叔祿與草堂寺智者法師善往訪之乃因智者啓捨同夏縣界牛屯里舍爲寺以慧眼爲名及就創造泄故井井水清冽異於常泉依夢取水洗眼及煮藥稍覺有瘳因此遂差時人謂之孝感梁南康王召爲主簿不樂仕進父卒廬墓終日號慟不絕聲月餘卒

張松建康人兄悌坐罪當死松及弟景各欲代其

死縣以讞上梁武帝以爲孝義特降其死

謝貞字元正晉太傅安九世孫也幼聰敏有至性祖母阮氏先苦風眩每發便一二日不能飲食貞亦不食往往如是親族莫不奇之母王氏授貞論語孝經讀訖便誦八歲嘗爲春日閑居五言詩從舅王筠奇其有佳致由是名輩知之年十三畧通五經大旨尤善左氏傳工草隸蟲篆十四丁父艱號頓於地絕而復蘇初父藺居母阮氏憂不食泣血而卒家人賓客懼貞復然從父洽族兄暠乃共

往華嚴寺請長爪禪師爲貞說法仍謂貞曰孝子既無兄弟極須自愛若憂毀滅性誰養母邪自後少進饘粥陳大建五年貞在江陵遂陷于周爲趙王侍讀王即周武帝之愛弟也甚相禮遇貞以母在江南每獨處晝夜流涕王知之以白武帝乃遣還爲駕部郎中尋遷侍郎及始興王叔陵爲揚州刺史辟貞爲主簿領丹陽丞貞知叔陵有異志自疎於王每有宴遊輒辭以疾未嘗參預叔陵雅欽重之弗之罪也俄而叔陵肆逆府僚多相連逮唯

貞獨不坐後主仍詔貞入掌中宮管記遷南平王友加招遠將軍掌記室事府長史汝南周確新除都官尚書請貞爲讓表後主覽而奇之因勅舍人賜米百石至德三年以母憂去職頃之勅起還府仍加招遠將軍掌記室貞累起固辭勅敦迫之以哀毀羸瘠終不能之官舍時徐祚沈客卿俱來候貞見其形體骨立祚等愴然歎息徐喻之曰弟年事已衰禮有恒制小宜引割自全貞因更感慟氣絶良久二人涕泣不能自勝憫默而出祚謂客卿

曰信哉孝門有孝子客卿曰詡公家傳至孝士大夫誰不仰止貞遂病卒

唐張常洧字巨川句容人父璋爲建州司户建中四年卒常洧廬於墓者三載墓側生瑞芝十二莖守土者表聞旌異之其從孫公挺亦以孝稱人謂張氏世孝云

劉鄴字漢藩句容人父三復以文章知名李德裕觀察浙西辟爲掌書記鄴幼而聰敏童丱時便能屬辭德裕使與子共師學德裕廢客游江湖間久

之召爲翰林學士歷中書舍人傷德裕以朋黨竄
死海上書訟其冤復德裕官爵世高其義云

宋秦傳序江寧人淳化五年充夔峽廵檢使李順之
亂賊衆奄至夔州城下傳序督士卒晝夜拒戰嬰
城既久危蹙日甚長吏皆奔竄投賊傳序謂士卒
曰吾爲監軍盡死節以守城吾之職也安可苟免
乎城中乏食傳序出囊橐服玩盡市酒肉以犒士
卒慰勉之衆皆感泣力戰傳序度力不能拒乃爲
蠟書遣人間道上言臣盡死力誓不降賊城壞傳

序赴火死傳序家寄荆湖閒子奭遡峽求父屍溺死人以爲父死于忠子死于孝奏至太宗嗟惻久之録傳序次子照爲殿直以錢十萬賜其家照卒後以照弟昉爲三班奉職

秦熹溧陽人爲人長者歲收租萬餘斛凡輸者令自行槩閒掊之鄉人德焉熈寧元豐閒頻歲饑饉熹爲薄粥賦之或給以傭石金活甚衆有司聞而薦之不起

錢戩溧陽人居父憂有少年來曰而父在京逋我

金戩欲償之弟有難色且令舉其驗戩獨曰大人
與人交信彼必不我欺且父貸宿鏹拒無左驗詞
雖直非孝子待親之道卒與之家濟不悔元夕家
人出觀燈隣人潛盜戩覺之呼前諭曰爾良家何
乃至是取金與之使去竟不語子時敏字端修登
政和第擢大理寺丞累官敷文閣待制時敏始生
有鵲啣青銅五銖錢置庭案人云陰德之證
劉縉溧水人累官安撫使靖康初死金人之難其
後曰應炎者任臺諫因不附賈似道被謫歸隱不

仕云

秦鉅字子野江寧人建康佚堪之子嘉定間通判蘄州金人犯境與郡守李誠之協力捍禦求援於武昌安慶月餘兵不至策應兵徐揮常用等棄城遁城破鉅與誠之各以自隨之兵巷戰死傷略盡鉅歸署疾呼吏人劉廸令火諸倉庫乃赴一室自焚有老卒見煙焰中着白戰袍者識其爲鉅也冒火挽出之鉅叱曰我爲國死汝輩可自求生掣衣就焚而死次子浚先往四祖山兵介亟還與弟瀶

皆從父死後贈鉅五官秘閣修撰封義烈侯與誠之皆立廟蘄州賜額褒忠贈浚灃通直郎淳祐十二年特封鉅義烈顯節侯

楊俊字質英溧陽人性至孝父卒居喪盡哀廬墓三年理宗時登第歷敕令掌翰林院

嚴晃字昇之溧水人精於周禮第武舉進士授教諭元兵渡江負其母避難卒與兵遇兵欲刄其母晃以身蔽之中頸幾死終身不能仰視壽七十八卒

趙煥字仲章溧水人博通經史授學諭父卒廬墓側終身不仕四方學者多宗之尊爲亭山先生

元樊淵字浩翁句容人事母孝宋至元十二年春母避兵茅山兵至欲殺其母淵抱母號哭以身代死兵兩釋之母亡事之如生十年薦辟不忍去墳墓終不起

顧童子建康人年始十六母吳染疾困篤不食者數日童子籲天引刀剖腹取肝雜粥藥以進母即甦翼日童子病又一夕竟死母以壽終

趙龍澤字萬里溧水人父鑑尚義業儒以薦授江西行省都事追封句容縣男龍澤爲人剛果有幹蠱才授雷州清道寨巡檢侍養不仕時汝潁兵起攻陷建康龍澤不屈而死贈浙東宣慰使司都元帥府照磨子權亦從父死弟雷澤與其子楷家居亦遇害

大明魏澤字彥恩溧水人有學行洪武中歷官刑部尚書

文皇靖内難方孝孺被逮捜捕族黨甚急澤時謫寧

海典史力爲周旋故方氏有遺育於世後經孝孺
宅爲詩以悼時人義之
周祓上元人其先宋元九世同居　國初王師渡
江祓糗粮以迎乃官祓武寧主簿正統間祓孫鏞
者出粟賑饑　旌爲義民
端木孝文溧水人尚書以善子與弟孝思皆以儒
士起家孝文爲翰林待詔孝思爲翰林侍書先後
使朝鮮以清節爲遠人所服立雙清館
戴慶祖溧陽人洪熈初擢太常贊禮郎累官少卿

與修太常儀註正統中歿於王事贈太常卿

王一居上元人讀書樂善太常贊禮郎宣德初祀

南郊禮度詳雅歷遷少卿正統中歿於王事贈太

常卿

陶元素字希文上元人正統間舉進士以親老乞

歸養教授諸生不復仕時推重之

謝芳字景昌其先贑人仕南京遂籍上元景泰丁

丑進士授南京兵部主事歷郎中出知永州府有

孝行

蔣逵字文孚江都人戎籍家南京少以文學名進
士任嘉興知縣拜御史值宸濠叛出軍江上以勞
遘疾卒事聞贈光禄少卿　諭祭
武暐溧水人嘉靖間任台州府知事三十一年倭
寇台御史檄暐禦之突入賊中伏發衆潰暐死之
事聞贈太僕寺丞蔭子立祠　賜額愍忠
倪壽張繼宗龐景華江元孫馮添孫俱南京人以
孝先後　旌表
論曰昔人言五代史傳一行非五代之美惟時鮮

之故傳之也余以爲不然夫君子急於與善而緩於貶惡苟有可書方大書特書又豈以時之所鮮而然哉是編所載皆忠孝節義有補於世教非苟然者楊邦乂雖死義而制行超卓故別傳云

應天府志卷三十終

應天府志卷三十一

列女傳

二儀肇判坤爲女德從一而終是曰靡慝投崖全貞刲肝表孝義重于生凛乎氷操作列女傳

漢徐氏丹陽太守孫翊妻也曉卜筮礿嬀覽戴貟逃竄山谷翊皆禮致之以覽爲都督貟爲丞二人常蓄異志時諸縣令長並會見翊翊入語徐吾明欲爲長吏作主人卿試卜之徐言卦不能佳可須異日翊不聽乃大會賓客至暮翊送客覽使其黨邉

鴻暗中賊翊走入山徐氏購捕中宿乃得覽貞歸罪殺鴻諸將皆知覽貞所爲而力不能討也覽入居軍府中取翊婢妾欲復取徐徐恐乃紿之曰須晦日設祭除服時月垂竟覽聽之徐潛使人語翊舊將孫高傅嬰等以佯許之故且顧哀救高嬰感泣許之高嬰乃密與翊時侍養者二十餘人相誓晦日設祭徐氏哭盡哀乃除服薰沐更於他室施幃帳言笑示無戚容覽密覘視不復疑徐呼高嬰與諸婢羅住戶內使人報覽覽感意入徐出戶拜

覽亦拜徐便大呼二君可起高嬰俱出共殺覽餘人即就外殺員徐氏乃反服奉覽員首以祭翊墓舉軍震駭以爲神異吳主悉族誅覽員餘黨擢高嬰爲牙門

吳習氏丹陽太守李衡妻也衡爲郡數以事侵琅琊王休習氏每諫不從休乞從會稽後休立衡憂懼謂妻曰不用卿言以至於此欲遂奔魏妻曰琅琊王素好善慕名方欲自顯於天下終不以私嫌殺君明矣可自囚詣獄表列前失顯求受罪如此乃

當逆見優容非但直活而已衡從之果得無患又加威遠將軍授以棨戟衡每欲治家妻輒不聽後密遣客十人於武陵龍陽況洲上作宅種甘橘千株臨死語兒曰汝母惡吾治家故窮如是然吾洲里有千頭木奴不責汝衣食歲上一匹絹亦可足用耳兒以白母母曰此當是種甘橘也汝父恒稱太史公言江陵千樹橘當封君家吾答曰且人患無德義不患不富若貴而能貧方好耳用此何爲

吳末衡甘橘成歲得絹數千匹家道殷足

南北朝王氏太尉長史誕之女也適袁氏生粲而其父卒粲尚幼孤寒無依王訪績以供朝夕粲嘗以事忤宋孝武坐徵下獄王侯孝武出負磚扣頭因至傷目粲疾王憂念特甚憂粲父曰憖孫疾無憂將爲國器但恐富貴終當傾滅耳及粲貴王恒以憂言爲戒粲因自損抑遇遷官常辭不拜粲後討蕭道成不克死于石頭城

魏氏王僧辯母也性和順僧辯以事下獄魏徒行謝罪梁元帝不與見乃詣貞惠世子自陳無訓辭

旨哀切世子爲改容及僧辯得釋魏深相責勵勉以忠孝後僧辯殄滅侯景克復舊都魏恒以讓抑爲戒卒謚曰貞敬

宋夏氏女溧水人母有疾女割腹取肝療之淳熈中表其里曰昭孝

余氏溧水人少寡居貧甚里中有惡少操刃逼脅之余不從遂死事聞表其市曰節婦里

花山節婦溧水人失其氏德祐間爲元兵虜至崇賢鄉碑亭橋嚙指濡血於橋上題詩畢即投水而

死後人以花山節婦名之

元王氏闞文興妻建康人也文興從軍漳州爲其萬户府知事王氏與俱行至元十七年陳吊眼作亂攻漳州文興率兵與戰死之王氏被掠義不受辱乃紿賊曰俟吾瘞夫即汝從也賊許之遂脫得負屍還積薪焚之火既熾即自投火中死至順三年事聞贈文興侯爵諡曰英烈王氏曰貞烈夫人有司爲立廟祀之號雙節云

張氏句容陰有光妻年十五歸陰氏六年而有光

卒誓不改節父母迎歸復許嫁尹氏張知之乃自刎明日姑至復甦曰不幸至此毋以新婦爲念言既而絶

衞氏趙宗澤妻建康人少有志操時汝潁兵起攻陷建康衞與趙棟妻夏氏趙楷妻劉氏俱誓不受辱沉水而死時號三烈

史氏溧陽人元末遭紅巾之亂舉家被害以刀自刎不絶乃抱子入水死

袁氏孤女溧水人年十五母嚴氏孀居極貧病篤

松木者數年女事母極孝至正中兵火延其里隣
婦強携女出泣曰我何忍舍母去乎同死而已遂
入室抱母共焚而死

大明楊氏金陵民家女事安陸侯吳復為妾復守黔
陽以疾卒楊自縊以殉事聞
高皇親降手勅封貞烈夫人

孫氏高淳劉彥陽妻也彥陽官平江携孫并二女
來幾卒孫旅寓奉彥陽喪謀歸塟會兵亂城陷掠
孫氏欲犯之不從被害脅其二女以行二女泣曰

令無所歸願相從乞掩父母骸骨賊從之隨至江濱皆赴水死

王氏高淳人嫁爲劉檜妻檜卒王方少艾人爭求娶不已王自傷曰死者人不免何可辱身爲遂自殺聞者哀之

王氏錦衣指揮僉事黄賓妾也賓以病卒黄即欲自刎爲家人所救尋復自縊成化間旌表

唐氏六合人適龍虎衛陳貴貴領海運唐度不能還乃斷指爲別貴果溺水死人慕其色欲求娶唐

泣下乃囑隣人宜備火中夜縱火自焚死鄉人哀
之
畢氏六合庠生季文奎妻文奎卒誓不他適後爲
父母所逼遂自縊死事聞旌表
柴氏江寧王宗妻宗爲郡學生攖危疾柴視藥晝
夜不離側宗語之曰我死善事後人柴俛首哽咽
而已尋謂其兄曰我以死謝夫及宗瀕危乃手治
殮具以所用銀事分其一付家人云以此爲夫含
臨時覺我人莫測其意頃之竟先宗投繯死口中

已含其一事聞旌表

王氏江東人爲都指揮陳忠妻忠守交趾王與俱會黎賊叛忠戰沒王時年二十三携二女登竹筏出交趾東海城進海門潛賂賊黨收忠屍殮之浮海間關扶柩南歸葬所居後紡績以度朝夕卒與忠合塟人謂其夫婦忠節兩無所愧云

孔士傑妻許氏句容人

萬壽春妻王氏句容人

朱約妻石氏句容人

范宗啓妻梁氏溧陽人

以上洪武間旌表

何官童妻汪氏江寧人　張五妻俞氏京城人

李佛保妻胡氏京城人　楊祖壽妻余氏府軍右衛人

陸阿葛妻倪氏江寧人　張德清妻周氏句容人

笪原善妻鄧氏句容人　陳儀之妻魏氏句容人

譚護妻王氏句容人

以上永樂間旌表

蘇官福妻薄氏府軍右衛人　王留兒妻鄭氏神策衛人

田二妻王氏府軍後衛人　黃受公妻龔氏豹韜後衛人

陳安兒妻江氏豹韜前衛人　陳阿福妻秦氏江寧人

陳忠妻仲氏上元人　周稱住妻張氏江寧人

郭盟妻徐氏六合人　張豫妻倪孺人江寧人

以上宣德間旌表

鄭忠妻周氏龍江右衛人　徐真保妻朱氏江寧人

李老哥妻孫氏江寧人　袁討兒妻張氏錦衣衛人

伊端妻魏氏上元人

以上正統間旌表

胡澄妻謝氏六合人　鄭瓘妻袁氏六合人

王經妻朱氏六合人　趙和妻孫氏駙馬輝之母

以上天順間旌表

朱金保妻蔡氏上元人　周濟妻姜氏上元人

陳慶妻曹氏上元人　徐義妻馬氏京城人

惕阿庇妻陳氏上元人　孫敏妻喬氏京城人

趙壽妻呂氏江寧人　唐思敬妻尤氏上元人

薛雙兒妻卞氏上元人　張純妻龔氏上元人

徐昱妻錢氏上元人　羅受同妻倪氏上元人

侯四兒妻吳氏江寧人　葉阿僧妻張氏上元人

史子澄妻王氏溧陽人　凌氏女高淳人

以上成化間旌表

任恍妻焦氏江陰衛人　郜澄妾段氏龍江左衛人

以上弘治間旌表

吳逵妻俞氏江浦人　正德間旌表

馬鑑妻江氏六合人　嘉靖間旌表

孝女趙氏知府俊女母病刲肉療之病愈事　聞

旌表

論曰大易言坤之德柔順利貞夫貞正而固也蓋

天下之道有經有權惟君子能屈伸變化要之無

媿于義云耳若婦人之節專一無二不得以此論之或峻維以自防或捐生以明志惟固而後正可全也今讀其書者凛凛猶有生氣胡可泯哉胡可泯哉

應天府志卷三十一終

應天府志卷三十二

雜傳

聖遠言堙異術並興辨言亂政末俗是營彼何人斯遊方之外不耕不織伊民之害作雜傳

漢李南字孝山句容人也少篤學明於風角永元中太守馬棱坐盜事被逮當詣廷尉吏民不寧南特通謁賀棱意恨之謂曰太守不德今當即罪而在反相賀邪南曰旦有善風明日中時應有吉問故來稱慶旦日棱延望景晏以爲妄至晡乃有驛使

齎詔原停稜事南問其遲留狀使者曰向虔苑陵
浦里旒馬蹠足是以不得速稜乃服馬後擧有道
辟公府病不行終於家南女亦曉家術爲由拳縣
人妻晨詣爨室卒有暴風婦便上堂從姑求歸辭
其二親姑不許乃跪而泣曰家世傳術疾風卒起
先吹竈突及井此禍爲婦女主爨者妾將亡之應
也因著其亡日乃聽還家如期病卒
沈建丹陽人世爲長吏建獨好道學導引服氣之
術又能治病輕重應手而愈嘗遠行寄僕婢并牧

羊于人各與藥一丸皆不復食建遂更與藥乃食如故

晉戴洋字國流吳興長興人好道術解占卜時陳敏爲右將軍堂邑令孫混見而羨之洋曰敏當作賊族滅何足願也未幾敏果反誅初混欲迎其家洋曰此地當敗得臘不得正豈可移家於賊中乎混便止歲末敏弟昶攻堂邑混遂以单身走免洋後居建康占候符驗甚衆

郭璞字景純河東聞喜人也嗜經術博學有高才

而訥於言論詞賦爲中興冠好古文奇字妙於陰陽筭曆有郭公者客居河東精於卜筮璞從之受業公以青囊中九卷與之由是遂洞五行天文卜筮之術攘災轉禍通致無方雖京房管輅不能過也旣過江王導深重之引參軍事嘗令作卦璞言公有震厄可命駕西出數十里得一栢樹截斷如身長置常寢處災當可消矣導從其言數日果震栢樹粉碎時元帝初鎮建鄴導令璞筮之遇咸之井璞曰東北郡縣有武名者當出鐸以著受命之

符西南郡縣有陽名者者井當沸其後晉陵武進縣人於田中得銅鐸五枚歷陽縣中井沸經日乃止其符驗若此者甚衆王敦謀逆璞托卜筮諫止之爲敦所害所著江賦南郊賦世傳誦之

南北朝徐文伯字德秀丹陽人太守熙曾孫熙好黃老隱秦望山有道士授以扁鵲鏡經曰君子孫當以道術救世當得二千石因精心學之遂名震海内子秋夫彌工其術仕至射陽令世傳嘗爲鬼針腰痛秋夫生道度叔嚮皆精其業道度仕宋文帝

朝位蘭陵太守道度生文伯叔嚮生嗣伯文伯兼
有學術倜儻不屈於公卿不以醫自業爲效與嗣
伯相埒孝武路太后病衆醫不識文伯診之曰此
石博小腸耳乃爲水劑消石湯病即愈除鄱陽王
常侍明帝宮人患腰痛牽心每至輒氣欲絶衆醫
以爲肉瘕文伯曰此髮瘕也以油投之即吐得物
如髮稍引之長三尺頭已成蛇能動挂門上適盡
一髮而已病都差子雄傳家業位奉朝請能清言
多爲貴游所善事毋孝毋終毀瘠幾至自滅俄而

兄亡扶杖臨喪撫膺一慟遂絶嗣伯字叔紹亦有孝行位至貟郎諸府佐直閤將軍房伯玉服五石散十許劑無益更患冷夏日常複衣嗣伯診之曰卿伏熱應須以水發之非冬月不可至十一月冰雪大盛令二人夾捉伯玉解衣坐石取冷水從頭澆之盡二十斛伯玉口噤氣絶家人啼哭請止嗣伯遣人執杖防閤敢有諫者撾之又盡水百斛伯玉始能動而見背上彭彭有氣俄而起坐曰熱不可忍乞冷飲嗣伯以水與之一飲一升病都差自

爾恒發熱冬月猶單褌衫體更肥壯常有婦人患
滯冷積年不差嗣伯爲診之曰此尸注也當取死
人枕煮服之即差後秣陵人張景年十五腹脹面
黃衆醫不能療以問嗣伯嗣伯曰此石蚘耳極難
療當得死人枕服依語煮枕以湯投之得大利并
蚘蟲頭堅如石五升病即差後沈僧翼患眼痛又
多見鬼物以問嗣伯嗣伯曰邪氣入肝可覓死人
枕煮服之竟可埋枕於故處如其言又愈王晏問
之曰三病不同皆用死人枕而俱差何也答曰尸

注者鬼氣伏而未起故令人沉滯得死人枕投之
魂氣飛越不得復附體故尸注可差石蚘者久蚘
也醫療既僻蚘中轉堅世間藥不能遣所以須鬼
物驅之然後可散故令煑死人枕也夫邪氣入肝
故使眼痛而見魍魎應須邪物以鈎之故用死人
枕氣因枕去故令埋於冢間也嘗春月出南籬門
戲聞屋中有呻吟聲嗣伯曰此病甚重更二日不
療必死乃往視見一老姥稱體痛而處處有黶黑
無數嗣伯還煑斗餘湯送令服之服訖痛勢愈甚

跳投床者無數須史所黥處皆突出釘長寸許以膏塗諸瘡口三日而復云此名釘疽也其神異若此

元 秦檜德興人僑居建康工相術莫知所師受與人言率肆意指陳亡所諱避人信而畏之至元間世祖問朕壽幾何對曰壽及八旬時春官未建曾見便殿俾定儲君於諸皇孫中對曰其位他日必爲太平天子即成宗也久之大臣有爲姦利者請問休咎檜拒不往見他日見於朝辭色甚怒檜爲言

曰相公能憂國愛民自可享耆頤之福然亦懼其
讒間授集賢學士辭不拜乞歸田里從之復其家
税役隱居鍾山臺省以下恒歲時存問數年時相
罷敗元貞初復召不赴以疾終

大明蔣用文句容人洪武中以醫爲太醫院判賜第
全節坊歷事三朝　仁廟監國時扈從北上疾卒
遣中官護歸贈院使謚恭靖

姜濬字子澄江寧人善書工小楷　仁廟在潛邸
召寫泥金經喜之洪熙元年授中書舍人擢吏部

主事知雲南府進按察副使

（漢）三茅君長曰盈次固次衷濛玄孫也咸陽南關人盈得道初元中入句曲山固武威太守衷上郡太守並解任從盈學道俱得仙

（吳）葛玄句容人也有仙術嘗從吳主權至溧洲遇大風百官船沉玄獨出水面而衣履不濕吳主重之於方山爲立觀後傳白日昇舉

（晉）許邁句容人也少恬靜不慕仕進未弱冠造郭璞璞爲之筮遇泰之上六爻發璞曰君元吉自天宜

學升遐之道南海太守鮑靚隱跡潛遁人莫知之
邁乃往候之探其至要時父母存未忍遺謂餘杭
懸霤山近延陵之茅山是洞庭西門陳安世茅季
偉常所游處於是立精舍於懸霤而往來茅嶺之
洞室放絕世務以尋仙朔望時節還家定省而已
父母既終乃遣婦孫氏還家携其同志徧游名山
初採藥於桐廬縣之桓山餌朮涉三年欲斷穀以
山近人不得專一四面藩之好道之徒欲相見者
登樓與語以此爲樂常服氣一氣千餘息永和二

年移入臨安西山登巖茹芝耿爾自得乃改名玄字遠遊與婦書告別又著詩十二首論神仙之事與王羲之相與爲世外之交遺羲之書云自山陰南至臨安多有金堂玉室仙人芝草左元放之徒漢末諸得道者皆在焉羲之自爲之傳述靈異之跡不可詳記玄自後莫測所終乃好道者皆謂之羽化云

（南北朝）張老六合園叟也梁天監中揚州曹掾韋恕爲女卜婿張老隣韋居強媒氏言之韋怒曰貧叟

致爾爲吾言日中致五百緡乃可張如期輦錢緡韋韋大駭曰吾戲耳今柰何俟其女亦不恨曰此固命也遂適張園業不廢其妻躬治爨濯了無作色韋中表咸以咎韋張知韋厭薄已也携其妻去曰王屋山下亦有少業他日相思可過訪也歲餘韋憶女令男義方如其言求之見張宮室盛麗衣服璀燦固非人間有也因留韋宿其侍御珍膳音樂歌舞又非嘗所聞見也韋莫測所以告歸以金二十鎰爲贈豈果仙乎抑幻術固有之以眩人世

乎後莫知所終

桓闓者不知何許人事陶弘景爲執役之士積十餘年不懈一旦有白鶴集弘景中庭時弘景自謂已上昇之期臨軒撫接忽有青衣童子曰太上命求桓君耳闓遂遽乘鶴冲舉後三日密降弘景之室曰君之隂功著矣所修本草以䖟虫水蛭爲藥功雖及人而害於物命以此一紀之後當解形去世言訖遂去

唐王遠知瑯琊人也父曇選嘗爲揚州刺史遠知母

夢靈鳳集身因而有娠遠知少聰慧博綜群書初
事陶弘景受其道法隋煬帝鎮揚州時起玉清玄
壇命遠知主之遠知心不欲鬚髮斯須變白乃遣
之少選又復故高祖龍潛常客陳符命武德中秦
王與房玄齡等微服謁遠知遠知曰此中有聖人
因謂秦王曰方作太平天子願自愛也即位後欲
加重爵固辭居茅山太平觀卒言百二十六歲
大明周顛仙建昌人患顛疾嘗浪遊南昌撫州歲將
三十餘有異詞每謁新官必曰告太平

太祖平南昌歸建業顛亦隨至
太祖曰此來何爲對曰告太平自後日顛不已一日
命巨釜覆之圍以束薪火盡啓視儼然如故如是
者三俱無恙詳見
御製碑文
冷謙字啓敬諳音律宋景定時人　國初以黃冠
入見
太祖授之協律郎善遯一日至便殿索小甖先以一
足入之已而漸沒其中呼冷謙輙應及視之乃空

聾耳因令碎之左右執碎璺呼之片片皆應自是
不復見後有人遇之武當者
覃迺本姓關氏陳留人幼有神理聰明秀徹一時
名流咸所推許在建業將涉三載乃註安般四禪
諸經嘗與人論逍遥篇曰桀跖以殘害爲性若適
性爲得者彼亦逍遥矣因爲之註群儒舊學咸所
歎伏
南北朝杯渡者不知姓名常乘木杯渡水因而爲號
在建康時唯荷一蘆圌子更無餘物或擲于地數

十人舉之不能得嘗欲之瓜步累足杯中食頃達
北岸潮溝有朱文殊者奉佛法渡多來其家其他
神異不可備述元嘉三年死葬覆舟山後人復見
渡如平時
求那跋摩者西域僧也宋元嘉中東遊渡江居金
陵祗園寺文帝嘗問之曰朕常願持齋不殺生命
對曰道在心不在事法由己不由人且帝王所修
與凡庶不同四海爲家萬民爲子出一嘉言則士
庶咸悅布一善政則人神以和刑清則不夭其命

役簡則無勞其天然後辨鍾律正時令鍾律辨則風雨調號令時則寒暑節如此則持齋亦已大矣不殺亦已衆矣安在乎鈇一時之膳全一禽之命然後爲弘濟也文帝撫几稱善

寶誌本姓朱金城人少出家止江東道林寺修習禪業至宋泰始初始顯靈跡常跣行街巷執一錫杖杖頭挂剪刀及鏡或一兩匹帛與人言始難曉後皆效驗時或賦詩言如讖記江東士庶皆共事之齊武帝謂其惑衆收禁建康獄詰旦遊行如故

而獄中仍一誌廼迎入宮敬事之然一日著三重布帽人皆怪之俄而武帝殂文惠太子及豫章王相繼薨逝梁武帝崇信西法尤所敬禮嘗對武帝食鱠武帝曰朕不知味二十餘年矣誌乃吐出小魚依依鱗尾太子綱初生日遣使問誌誌合掌曰皇子誕育幸甚然冤家亦生於此後推尋曆數蓋與侯景同年月日生也天監十三年無疾而終

達磨西域僧也傳佛心印聞梁武崇信釋典乃自南海廣州達建康時武帝與寶誌雲光講說因果

達磨以爲非佛旨乃面壁十九年不語後以所傳衣鉢授弟子慧可是爲南來第一祖云

唐懶融姓韋本潤州延陵人從茅山炅法師髡髮爲僧入牛頭山幽棲寺石室内修道虎鹿馴伏有百鳥獻花之異今名所居山曰祖堂岩曰獻花

論曰余觀方技之士皆有所假托以神其事若醫方稱黃帝卜筮稱大易是巳然要之有益於世聖人所不廢至神仙佛氏其說靡靡矣列子亦言化人蓋非常經而秦皇梁武竭四海以奉之何如哉